T0138011

ATLAS

de

La Grammaire Française

أطلس

في قواعد اللغة الفرنسية

Apprentissage de la grammaire française comme il faut

إعداد

عبد الـله العطار
مدرس اللغة الفرنسية
بكلية الآداب

أحمد رمضان
مدرس لغة فرنسية

العطار، عبدالله،

ATLAS – أطلس في قواعد اللغة الفرنسية / عبدالله العطار
de La Grammaire Française

– ط 1.- الجيزة : اطلس للنشر والانتاج الاعلامى 2013

464 ص ,24 سم

تدمك: 1 -978-977-399-281

1- اللغة الفرنسية

أ - العنوان

445

ATLAS

de

La Grammaire Française

أطلس

في قواعد اللغة الفرنسية

Apprentissage de la grammaire française comme il faut

إعداد

عبد الله العطار
مدرس اللغة الفرنسية
بكلية الآداب

أحمد رمضان
مدرس لغة فرنسية

رئيس مجلس الإدارة

عـادل المصرى

عضو مجلس الإدارة المنتدب

نوران المصرى

رقم الإيداع

2013/19587

الترقيم الدولى

978-977-399-281-1

الطبعة الأولى

الكتـاب : أطلس فى قواعد اللغة الفرنسية

المؤلفان : عبدالـله العطار – أحمد رمضان

الغلاف : أحمد فكرى

الناشـر : أطلس للنشر والإنتاج الإعلامى ش.م.م

25ش وادى النيل – المهندسين – الجيزة

atlas@innovations-co.com

www.atlas-publishing.com

تليفون : 33465850 – 33042471 – 33027965

فاكـــــــــــس : 33028328

****

بسم الله الرحمن الرحيم

{وَمَا أَرْسَلْنَا مِنْ رَسُولٍ إِلَّا بِلِسَانِ قَوْمِهِ لِيُبَيِّنَ لَهُمْ فَيُضِلُّ اللهُ مَنْ يَشَاءُ وَيَهْدِي مَنْ يَشَاءُ وَهُوَ الْعَزِيزُ الْحَكِيمُ}.

{إبراهيم: 4}

مقدمة

عزيزي الدارس ...

تحتل اللغة الفرنسية مكانة لا بأس بها في محيط اللغات المعاصرة، وهذه المكانة في ازدياد مستمر يومًا بعد يوم، ونعرض لك عزيزي القارئ واحدة من خطوات هذا الازدياد؛ كتابًا خاصًا يتحدث عن قواعد اللغة الفرنسية وكيفية صياغة الجملة في اللغة الفرنسية. ولقد وضع المنهج والمحتوى العلمي على أساس منهجي سليم يراعي التقديم ما بين بداية الكتاب حتى نهايته حتى يكون في مستوى فهمي جيد.

ويحتوي العمل كافة قواعد اللغة الفرنسية المتعارف عليها عند أرباب اللغة الفرنسية، وسنسرد هذه القواعد بطريقة من العرض تتدرج في الصعوبة والحجم لتنتهي بالدارس إلى مستوى مرغوب فيه يضمن له التفاعل الجيد والمتقن مع قواعد اللغة الفرنسية.

جدير بالذكر أن هذا الكتاب الجامع جاء حصيلة مجهود مضنٍ من جمع وترجمة وشرح للمادة العلمية والقيام بأعمال التخصيب اللغوي على مدار سنوات، بعد جهد دءوب وعمل متواصل من المطابقة لجميع القواعد الموجودة بالكتاب لضمان توافقها لما هو قائم عند أرباب اللغة الفرنسية أنفسهم، فضلا عن المراجعة الإملائية والتنضيد والإخراج، فهو حصيلة للمشوار اللغوي ضمن مكتبة أطلس لتعليم الفرنسية، ولا يحسبن القارئ العزيز أن هذا العمل قد وصله بيسر وسهولة، فقد استغرق من الوقت سنوات عديدة.

ونظرًا لحاجة الدارسين الماسة والرغبة في إتقان اللغة الفرنسية كلغة ثانية جاءت فكرة هذ الكتاب.

نرجو من اللـه أن تعم فائدته على دارسي اللغة الفرنسية

وفقنا اللـه وإياكم ...

LES ARTICLES

الأدوات

[I] Les Articles

الأدوات

L'article est un terme qui se place devant les noms et indique leur valeur définie ou indéfinie, et souvent leur nombre ou leur genre.

الأداة اللغوية هي لفظة تسبق الأسماء فتشير إن كان الاسم معروفًا أو لا، وتدل غالبًا على عدد (مفرد، جمع) أو نوع الاسم (مذكر، مؤنث).

هناك ثلاثة أنواع من الأدوات:

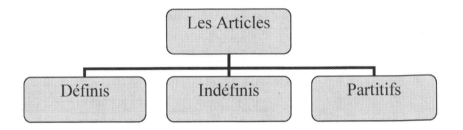

****

(1) Les articles définis أدوات المعرفة

Les articles définis sont: أدوات المعرفة هِيَ:

Article	Utilisation	Exemple
Le	Indiquant le nom masculin singulier devant une consonne. لتعريف الأسماء المذكرة المفردة التِي تبـدأ بِحـرف ساكن.	le garçon, le livre, le stylo...
La	Indiquant le nom féminin singulier devant une consonne. لتعريف الأسماء المؤنثة المفردة التِي تبـدأ بِحـرف ساكن.	la femme, la maison, la porte...
L'	Indiquant le nom masculin ou féminin singulier devant une voyelle ou un (h) muet. لتعريف الأسماء المذكرة أو المؤنثة المفردة التِي تبـدأ بِحرف عِلة أو حرف (h) صامِت.	l'enfant, l'homme, l'école...
Les	Indiquant le nom masculin ou féminin pluriel. لتعريف الأسماء المذكرة أو المؤنثة الجمع.	les mains, les élèves, les maisons...

Remarques

[ملاحظات]

L'article défini s'emploie devant un nom déterminé.

تستخدم الأدوات المعرفة أمام اسم محدد (أو معرف).

On omet l'article défini devant les noms qui donnent un sens très général.

تحذف هذه الأدوات مِن أمام الأسماء عِندما يكون للأسماء معنّى عام جِدًّا.

Selon l'omission ou l'emploi de l'article, l'expression peut prendre un sens général ou particulier.

بِناءً على حذف الأدوات أوِ استِخدامِها يحدد إن كان لِلاسم معنّى عام أو خاص.

Un morceau de viande. (*pas : un morceau de la viande*).

Fait attention
[انتبه]

Remarque	Exemple
1- La plupart des termes géographiques (*pays*, *fleuves*, *montagnes*...) prennent des articles définis. معظم المصطلحات الجغرافية كأسـماء البلـدان والأنهار والجِبال... تسبِقها أداة معرفة.	سويسرا (*Le Suisse*)، النيل (*Le Nil*)، جبال الألب (*Les Alpes*).
2- Au pluriel, dans certaines expressions on utilise (*ès*) au lieu de [*en les*]. بعض التعبيرات في حالة الجمع تستخدم (ès) بدلاً مِن (en les)	*Maître ès arts, Licencié ès Lettres.* مجاز في الفنون، مجاز في الآداب.

****

(2) Les articles indéfinis أدوات النكرة

Les articles indéfinis sont: أدوات النكرة هِي:

Article	Utilisation	Exemple
Un	Utilisé avec le nom masculin singulier. تأتي قبل الأسماء المذكرة المفردة.	un sac, un élève, un portable...
Une	Utilisé avec le nom féminin singulier. تأتي قبل الأسماء المؤنثة المفردة.	une fille, une école, une maison...
Des	Utilisé avec le nom masculin ou féminin pluriel. تأتي قبل الأسماء المذكرة أوِ المؤنثة الجمع.	des lunettes, des amis, des montres...

[Remarques]

L'article indéfini s'emploie devant un nom indéterminé ou imparfaitement déterminé.

تستخدم أدوات النكرة أمام الأسماء غير المعرفة أو المعرفة بِشكل غير تام.

On omet l'article indéfini devant les noms absolument indéterminés.

تحذف هذه الأدوات مِن أمام الأسماء عندما يكون لهذه الأسماء معنًى لا يعرف قطعًا.

Ex. : *Il parle sans hésitation.*

يتكلم بِلا تردد.

****

Fait attention

[انتبه]

On utilise (**de/d'**) à la place des articles indéfinis dans les conditions suivantes:

نستخدم 'de/d بدلاً من أدوات النكرة في الحالات الآتية:

1- Dans une phrase négative.

في الجملة المنفية.

Ex. : As-tu un livre ?	- Non, Je n'ai pas **de** livre.

2- Devant un adjectif qualificatif pluriel

أمام الصفة الوصفية الجمع.

Ex. J'ai **de** beaux vêtements.

3- Après un adverbe de quantité.

بعد الظرف الدال على الكمية.

Ex. Il y a beaucoup **de** gens dans cette salle.

Remarque

Les articles indéfinis sont transformés en (de) après un nom collectif.

تُحول أدوات النكرة بعد أسماء الجمع إلى (de)، (أو بمعنى آخر في حالة وجود مضاف ومضاف إليه

جمع).

Ex. Une équipe <u>de</u> joueurs.

Ex. Une collection <u>de</u> timbres.

لا تنسَ: أن أدوات النكرة لا تتحول إلى 'de/d في حالة إذا كان فعل الجملة الأساسي هو v. être

| *Ex.* : Es- tu un pilote ? | - Non, je ne suis pas un pilote. |

لاحظ أن : 1- أداة النكرة ليس لها مقابل في اللغة العربية.

2- في اللغة الفرنسية لا يعتبر الاسم نكرة إلا إذا سُبق بأداة نكرة.

****

(3) Les articles partitifs   أدوات التجزئة

L'article partitif est un terme utilisé devant le nom pour désigner une partie inconnue de ce nom.

أداة التجزئة هي أداة تستخدم أمام الاسم لتشير إلى جزء من هذا الاسم.

Les articles partitifs sont: أدوات التجزئة هي

Article	Utilisation	Exemple
du	La racine (de + le) = du Utilisé devant un nom masculin singulier. تأتي أمام اسم مفرد مذكر.	*Je prends du pain.*
de la	Utilisé devant un nom féminin singulier. تأتي أمام اسم مفرد مؤنث.	*Il mange de la viande.*
de l'	Utilisé devant un nom masculin ou féminin commencé par une voyelle. تأتي أمام اسم مفرد مذكر أو مؤنث يبدأ بمتحرك.	*Mazen bois de l'eau.*
des	La racine (de + les) = des Utilisé devant un nom pluriel. تأتي أمام اسم جمع بنوعيه.	*Nous mangeons des fruits.*

Remarque

L'article partitif indique qu'on ne prend qu'une partie de l'objet.

تشير أداة التجزئة إلى أن الإنسان لا يأخذ إلا جزءًا من الشيء.

Ex. :

*Je prends **le** pain.*	C'est-à-dire	Je prends tout le pain.
*Je prends **du** pain.*	C'est-à-dire	Je ne prends qu'une partie du pain.

[Fait attention]

[انتبه]

On utilise (**de/d'**) à la place des articles partitifs dans les conditions suivantes:-

يستخدم (de /'d) مكان أدوات التجزئة في الحالات الآتية:

1- Dans une phrase négative.

في الجملة المنفية.

> *Ex.* : *Je ne mange pas __de__ gâteaux.*

2- Après un adverbe de quantité.

بعد ظرف الكمية.

> *Ex.* : *J'ai peu __de__ viande.*

3- Devant un adjectif qualificatif pluriel.

أمام الصفة الوصفية الجمع.

> *Ex.* : *Nous mangeons __de__ beaux fruits.*

Exercices sur les articles

(1) Complétez par l'article convenable:

1- Je bois …… eau à mes repas.

2- J'ai acheté …… grosses oranges.

3- Il n'a pas …... cahiers.

4- J'espère avoir ……. bonnes notes.

5- Je ne bois pas …... bière.

6- J'ai mangé au soir …... pain, …... viande, …… légumes.

7- Il y a trop …… fautes dans votre devoir.

(2) Remplacez les points par un article défini :

- … repas
- … stylo
- … fille
- … cahier
- … table
- … hôtel
- … feuille
- … nez

- … murs
- … exercices
- … père
- … drapeau
- … fenêtre
- … maison
- … gommes
- … porte

(3) Remplacez les points par un article indéfini :

- ... hôpital

- ... frère

- ... mère

- ... portes

- ... livres

- ... chaise

- ... règle

- ... année

- ... œil

- ... garçon

- ... bancs

- ... heure

- ... cadeaux

- ... semaine

- ... robe

- ... lampe

(4) Complétez par l'article convenable:

1- J'ai ......mauvais plume.

2- Le professeur parle ...... élèves, les élèves écoutent ...... explications ...... professeur.

3- Combien ...... professeurs y a-t-il dans votre école ?

4- Avez-vous assez ...... argent ?

5- En hiver, je ne prends pas ...... douches.

6- Dans cette classe, il y a peu ...... élèves qui travaillent bien.

7- Elle a toujours ...... belles fleurs sur sa table.

(5) Complétez avec (le- la- l'- les) :

1- Il aime marcher au bord de … mer.

2- … soleil se lève à l'est.

3- … heure est subdivisée en 60 minutes.

4- On traite ce malade avec … hormones.

5- … vent souffle contre ma voiture.

6- … petite fille marche lentement.

7- Ce n'est pas visible à … œil nu!

(6) Complétez avec (du- des- de la- au- aux- à la) :

1- Qui va s'occuper … enfants?

2- Rami fait … natation.

3- Je vais … montagne.

4- Son projet a plu … directeurs.

5- Les élèves se moquent … paresseux.

6- Les enfants ont peur … croque-mitaine.

7- Mon frère s'intéresse … football.

(7) Complétez avec (un- une- des) :

1- Elle a trouvé … chat dans sa chambre.

2- J'ai vu … étoiles dans le ciel.

3- J'ai acheté … grand sac.

4- Elle nous a raconté … histoire.

5- Hend a … grande règle.

LES ADJECTIFS

الصفات

[II] Les Adjectifs

الصفات

L'adjectif est un mot qui qualifie ou détermine le nom auquel il est joint.

الصفة: هِي كَلِمة تصِف أو تحدد المَوصوف الذِي تتبعه.

في اللغة الفرنسية هناك ستة أنواع من الصفات وهي:

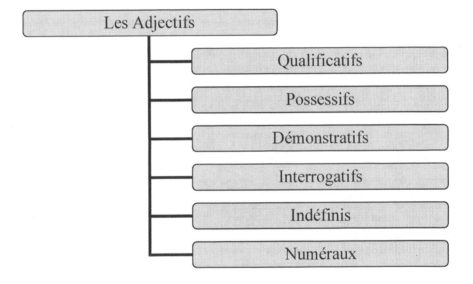

(1) Les adjectifs qualificatifs

الصفات النعتية

L'adjectif qualificatif s'accorde en genre et en nombre avec le nom qu'il qualifie .

الصفة النعتية تتبع الاسم الذِي تصِفه في نوعِه وعددِه.

Ex. :

Un petit cheval.	حصان صغير.
Les hommes braves.	الرجال الشجعان.

L'adjectif qualificatif est **épithète** ou **attribut**.

للصفة (النعت) نوعان:

1- Il est **épithète** quand il est réuni au nom directement.

1- عندما تنضم الصفة إلى الموصوف مباشرة بدون فاصل بينهما.

Ex. : Voici un **beau** jardin.	ها هي حديقة جميلة.

2- Il est **attribut** quand il est réuni au nom ou pronom par un des verbes suivants: *être, devenir, sembler, paraître….etc.*

2- عندما يوجد فاصل بين الصفة وموصوفها كأحد الأفعال السابق ذكرها.

Ex. :

Le jardin est **beau**.	الحديقة جميلة.
Il parait **pâle**.	يبدو شاحب اللون.

****

Les adjectifs qualificatifs antéposés

الصفات النعتية السابقة

Les adjectifs qualificatifs placés avant le nom s'appellent adjectifs **antéposés**. Ils sont: *beau, joli, bon, mauvais, petit, grand, gros, long, jeune, vieux.*

الصفات النعتية التي تأتي قبل الاسم تُسمى (adjectifs antéposés) وهِي الصفات السابق ذكرها

Ex. : Une **jolie** fille.	*Ex.* : Un **grand** homme.

Les adjectifs qualificatifs postposés

الصفات النعتية اللاحقة

Les adjectifs qualificatifs placés après toujours le nom s'appellent adjectifs **postposés**, ils indiquent :

هناك صِفات نعتِية تأتي دائِمًا بعد الاسم وهي تشير إلى:

1	**La couleur** الصفات الدالة على اللون.	*Des bananes jaunes.*
2	**La forme** الصفات الدالة على الشكل.	*Un visage rond.*
3	**Un participe passé ou un participe présent** الصفات التي تأتي على شكل اسـم مفعـول أو على شكل اسم فاعِل.	*C'est un écrivain connu.* *Un accident choquant.*
4	**La nationalité** الصفات الدالة على الجنسية.	*Le drapeau égyptien, L'armée française...*
5	**La religion** الصفات الدالة على الدين.	*Une fête musulmane, Le temple antique* البيت (العتيق: الكعبة)
6	**Les classifications** التصنيفات.	*Une école primaire, l'océan Atlantique...*

****

Fait attention

[انتبه]

1- Certains adjectifs postposés peuvent être placés avant le nom pour insister ou mettre en valeur, surtout les adjectifs qui expriment une appréciation.

١. من المُمكِن تغيير موضِع بعض الصفات التِي تأتي بعد الاسم بِحيث تأتي قبله وذلِك للتأكِيد عليها أو إظهار أهميتها وخصوصًا الصفات التِي تعبر عن إعجاب.

> *Ex.* : Nous avons passé **des vacances agréables**. [ou] Nous avons passé **d'agréables vacances**.

2- Quand l'adjectif a un complément, il est toujours après le nom.

٢. عندما يكون للصفة مفعول به، هذه الصفة تأتِي دائمًا بعد الاسم.

> *Ex.* : Voici un **bon café**.
>
> *Ex.* : Voici un **café bon** à boire.

3- Certains adjectifs changent de sens selon leur place avant ou après le nom.

٣. يتغير معنى بعض الصفات حسب موقِعِها قبل الاسم أو بعده.

Une **pauvre** famille (*malheureuse, qui a des ennuis*).

عائِلة بائِسة، مهمومة.

Une famille **pauvre** (*qui n'a pas assez d'argent*).

عائِلة فقِيرة.

Un homme **grand** (*il a une haute taille*).

رجل طويل.

Un **grand** homme (*est un homme célèbre, illustre*).

رجل مشهور.

****

Les degrés de signification de l'adjectif qualificatif

درجات المعنى للصفة الوصفية

L'adjectif est :

Au **comparatif** (*Mohamed est plus grand que Manar*)

[Ou] au **superlatif** (*Mohamed est le plus grand*).

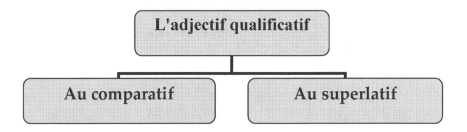

(A) Le comparatif: il y a trois comparatifs:

هناك ثلاث درجات للمقارنة:

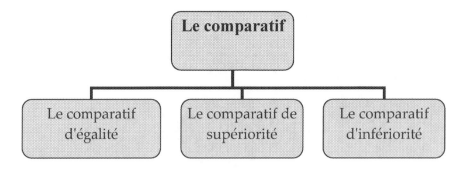

1- **Le comparatif d'égalité** avec (<u>aussi --- que</u>) et (<u>si --- que</u>) dans les phrases négatives.

مساوي لـ

Ex. : Mohamed est **aussi** grand **que** Moustafa.
Ex. : Il n'est pas **si** grand **que** son frère.

2- **Le comparatif de supériorité** avec (<u>plus --- que</u>).

أكثر من/ أكبر من

Ex. Ali est **plus** grand **que** Mohamed.

3- **Le comparatif d'infériorité** avec (<u>moins --- que</u>)

أقل من

Ex. Ali est **moins** grand **que** Mohamed.

(B) Le superlatif : le superlatif est absolu ou relatif:

درجات التفضيل:

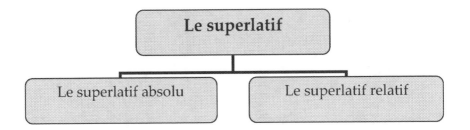

1- On forme **le superlatif absolu** en plaçant l'adjectif après (*très, fort, extrêmement….etc.*).

> *Ex.* Mohamed est **très grand**.

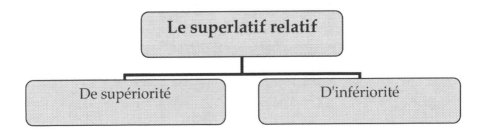

2- On forme **le superlatif relatif** avec:

** <u>le plus, la plus, les plus</u>: c'est le superlatif de supériorité.

الأعلى، الأكثر، الأكبر.

Ex. Thomas est l'élève **le plus** paresseux dans l'école.
Ex. Le Caire et Alexandrie sont **les plus** grandes villes d'Égypte.

** **le moins, la moins, les moins**: c'est le superlatif d'infériorité.

الأقل، الأدنى.

Ex. Ali est l'élève **le moins** studieux dans la classe.
Ex. Amal et Hend sont **les moins** âges dans la famille.

Féminin des adjectifs qualificatifs

Pour former le féminin des adjectifs, on ajoute généralement [e] au masculin.

لتحويل الصفة من مذكر إلى مؤنث نضيف حرف [e] إلى الصفة المذكرة.

Masculin	Féminin
grand	grande
petit	petite
blond	blonde

Principaux exceptions:

Masculin	Féminin	Masculin	Féminin
--- e	invariable	facile	facile
--- er	-ère	léger	légère
--- f	-ve	neuf	neuve
		attentif	attentive
		actif	active
		sportif	sportive
--- eux	-euse	paresseux	paresseuse
		heureux	heureuse
		nombreux	nombreuse
--- eur	-euse	menteur	menteuse
--- el	-elle	annuel	annuelle
		culturel	culturelle
		habituel	habituelle
--- et	-ette	muet	muette
		net	nette
		cadet	cadette
--- on	-onne	bon	bonne
--- oux	-ouse	jaloux	jalouse

Exercices sur les adjectifs qualificatifs

(1) Complétez les phrases suivantes avec un adjectif qualificatif convenable :

1- Cette robe est ....

2- L'encre est ....

3- Le ... élève est attentif.

4- Le tableau est ....

5- Mon stylo est .... Mais, le stylo de mon frère est ....

6- Dans la classe, il y a vingt élèves ... et quatre élèves absents.

7- Il a une leçon ....

8- Le contraire de grand est ....

(2) Mettez au comparatif les adjectifs entre parenthèses:

1- Le cheval est .... (grand) .... l'âne.

2- Le stylo est .... (long) .... la règle.

3- La voiture est .... (vite) .... le bus.

4- Rami est .... (petit) .... son frère.

5- Le chat est .... (grand) .... le chien.

6- L'ordinateur est .... (intéressant) .... la télé.

(3) **Mettez au comparatif d'égalité (aussi que, si que) les adjectifs dans les phrases suivantes:**

1- Fouad est ….. fort …. Mohammed.

2- En été, les nuits ne sont pas …. longues …. les jours.

3- Il est ….. grand …. son frère.

4- Ce devoir est …. bon …. le devoir d'Ali.

(4) **Mettez au superlatif d'intériorité (le moins, la moins, les moins) les adjectifs dans les phrases suivantes :**

1- Février est le mois … long de l'année.

2- De toutes les dictées, celle d'Ali est …. bonne.

3- Hend et Aliaa, vous êtes les élèves …. studieuses de la classe.

4- En France, les aliments …. chers sont les légumes.

(2) Les adjectifs possessifs

صفات المِلكية

L'adjectif possessif prend la place de l'article et indique le possesseur de l'objet nommé.

تحل صِفة المِلكِية محل أداة التعرِيف فتدل على مالِك الاسم المذكور بعدها.

*J'habite dans **ma** maison.*

*Pierre met ses livres dans **son** sac.*

Le possesseur المالك	L'objet possédé المملوك		Pluriel جمع
	Singulier مفرد		
	Masculin	Féminin	
Je	Mon	Ma	Mes
Tu	Ton	Ta	Tes
Il/Elle	Son	Sa	Ses
Nous	Notre		Nos
Vous	Votre		Vos
Ils/Elles	Leur		Leurs

Le possesseur est singulier: المالك مفرد:

mon, ton, son: utilisé avec les noms masculins singuliers.

تستخدم مع الأسماء المذكرة المفردة.

*C'est **mon** livre.*

***Ton** père est arrivé.*

*Elle a fait **son** devoir.*

ma, ta, sa: utilisé avec les noms féminins singuliers.

تستخدم مع الأسماء المؤنثة المفردة.

***Ma** chambre est propre.*

*Tu as perdu **ta** montre.*

*Il joue avec **sa** sœur.*

mes, tes, ses: utilisé avec les noms masculins ou féminins pluriels.

تستخدم مع الأسماء المذكرة أو المؤنثة الجمع.

*Il a pris **mes** stylos.*

***Tes** sacs sont trouvés.*

*Il a perdu **ses** lunettes.*

****

Le possesseur est pluriel :   الالك جمع:

 notre, votre, leur: utilisé avec les noms masculins ou féminins singuliers.

تستخدم مع الأسماء المذكرة أوِ المؤنثة المفردة.

*Nous aidons **notre** mère.*

*Faites **votre** devoir.*

*Ils lavent **leur** voiture.*

nos, vos, leurs: utilisé avec les noms masculins ou féminins pluriels.

تستخدم مع الأسماء المذكرة أوِ المؤنثة الجمع.

*Nous partons avec **nos** parents.*

*Vous avez oublié **vos** stylos.*

*Elles ont fini **leurs** examens.*

Fait attention

[انتبه]

** Devant les noms féminins qui commencent par une voyelle ou un [h] muet, on met : [**mon, ton, son**] et pas [**ma, ta, sa**].

أمام الكلِمات المؤنثة التِي تبدأ بِحرف عِلة أو (h) صامِتة، نستخدِم (mon, ton, son) بدلاً مِن (ma, ta, sa)

On dit	On ne dit pas
mon amie	*ma amie*
ton école	*ta école*
son image	*sa image*

** Par politesse, **votre** remplace [**ton, ta**] et **Vos** remplace [**tes**].

على سبيل الأدب نستخدم votre بدلاً من ton, ta ونستخدم vos بدلاً من tes

Mohamed, prenez votre livre et vos cahiers.

تترجم صفة الملكية بكلمة (مِلك) ثم الضمير أو الاسم المالك.

Exercices sur les adjectifs possessifs

(1) Complétez avec un adjectif possessif convenable:

1- Tu dois respecter ... père.

2- Pourquoi as-tu vendu ... maison?

3- Il ne peut pas ouvrir ... œil.

4- Chaque mère aime ... fille.

5- Chacun a ... ennuis.

6- Nous respectons ... maîtresse.

7- Aidez ... mère.

(2) Remplacez les points par un adjectif possessif convenable:

1- Il ouvre .... sac, il prend .... livres et .... stylos.

2- C'est ma sœur qui parle, c'est .... voix.

3- Pierre et Zoé étudient .... leçons.

4- Moi et mon frère écrivons .... devoirs.

5- Maha aide .... mère.

6- Ils aiment .... parents et .... professeurs.

7- Cette chemise est à toi, c'est .... chemise.

(3) Écrivez au pluriel:

1- Il écrit son devoir.

2- J'aime mes parents.

3- Elle aide sa mère.

4- Je ne suis pas à ma place.

5- Elle prépare le manger dans la cuisine.

6- Tu ouvres ton cahier.

7- Tu vas chez ton ami.

(3) Les adjectifs démonstratifs

صفات الإشارة

L'adjectif démonstratif prend la place de l'article en montrant le nom dont on parle.

تحل صِفة الإشارة محل أداة التعرِيف مُشِيرة إلى الاسم الذي نتحدث عنه.

Ex. Ce garçon est gentil.

Les adjectifs démonstratifs sont:

صفات الإشارة هي:

Singulier		Pluriel	
Masculin	**Féminin**	**Masculin**	**Féminin**
Ce, cet	Cette	Ces	

Ce: utilisé avec les noms masculins singuliers.

تأتي قبل الأسماء المذكرة المفردة.

Ex. Ce livre, ce cahier, ce sac...

Cet: utilisé devant les noms masculins singuliers qui commencent par une voyelle ou un [h] muet.

تأتي قبل الأسماء المذكرة المفردة التي تبدأ بحرف عِلة أو بِحرف (h) صامِت.

Ex. *Cet hôtel, cet élève, cet ami...*

Cette: utilisé avec les noms féminins singuliers.

تأتي قبل الأسماء المؤنثة المفردة

Ex. *Cette fille, cette porte, cette chemise...*

Ces: utilisé avec les noms masculins ou féminins pluriels.

تأتي قبل الأسماء المذكرة أو المؤنثة الجمع.

Ex. *Ces stylos, ces cassettes, ces vêtements...*

Fait attention

[انتبه]

1- L'adjectif démonstratif peut être utilisé pour lier les informations dans deux phrases ou deux paragraphes.

مِن المُمكِن استِخدام صِفة الإشارة لِلربط بين المعلومات المعطاة فِي جملتينِ أو فِقرتين.

*Ex. J'ai rencontré une petite fille dans la rue. **Cette** fille était la sœur de mon amie.*

قابلت فتاةً صغيرةً فِي الشارع. هذِهِ الفتاة كانت أخت صديقتِي.

2- Pour montrer des personnes ou des choses plus proches, on ajoute [-ci] après le nom.

تضاف [-ci] بعد الاسم لتوضيح الأشخاص أو الأشياء الأكثر قربًا.

Pour montrer des personnes ou des choses plus lointaines, on ajoute [-là] après le nom.

تضاف [-là] بعد الاسم لتوضيح الأشخاص أو الأشياء الأكثر بُعدًا.

Ce **livre-ci** est bleu.	* Ces **livres-ci** sont bleus.
Ce **livre-là** est blanc.	* Ces **livres- là** sont blancs.

تترجم صفة الإشارة بـ (هذا، هذه، هؤلاء)

Exercices sur les adjectifs démonstratifs

(1) Complétez avec un adjectif démonstratif convenable:

1- ... livre n'est pas utile.

2- Nous partirons pour Paris ... semaine.

3- Il préfère ... crayons.

4- ... dames sont gentilles.

5- Je déteste ... habit.

6- Je vais arroser ... oranger.

7- Il travaille dans ... hôtel.

(2) Remplacez les points par un adjectif démonstratif convenable:

1- Faites .... devoirs.

2- Prenez .... plumes et écrivez les leçons.

3- Comment s'appelle .... femme.

4- .... homme est gentil.

5- .... encre est noire.

6- Conjuguez .... verbe au présent.

7- Apportez .... livres.

****

(4) Les adjectifs interrogatifs

صفات الاستفهام

L'adjectif interrogatif est utilisé pour se renseigner sur une personne ou une chose.

تستخدم صِفة الاستِفهام للاستِفسار عن شخص أو عن شيء.

Ex. Quel âge as-tu ?

ما عمرك؟

L'adjectif interrogatif est: **quel**

ما/ أي؟

Quel: se varie selon le nom renseigné selon le suivant:

يتغير شكلها حسب الاسم التي تسأل عنه كالتالي:

Singulier		Pluriel	
Masculin	Féminin	Masculin	Féminin
Quel ?	Quelle ?	Quels ?	Quelles ?

Quel: Utilisé avec les noms masculins singuliers.

تستخدم مع الأسماء المذكرة المفردة.

> *Ex. Quel est le nom de ton chien ?*

Quelle: Utilisé avec les noms féminins singuliers.

تستخدم مع الأسماء المؤنثة المفردة.

> *Ex. Quelle robe préfère-t-elle ?*

Quels: Utilisé avec les noms masculins pluriels.

تستخدم مع الأسماء المذكرة الجمع.

> *Ex. Quels amis aimes-tu accompagner ?*

Quelles: Utilisé avec les noms féminins pluriels.

تستخدم مع الأسماء المؤنثة الجمع.

> *Ex. Quelles chemises achètera-t-elle ?*

Fait attention

[انتبه]

L'adjectif interrogatif peut être précédé d'une préposition selon la construction verbale utilisée.

مِن المُمكِن أن يسبِق صِفة الاستِفهام حرف جر (préposition) وذلِك اعتِمادًا على بِناء الفِعل المستخدم.

Ex. *De quelle fenêtre parlez-vous ?*　　　عن أي نافذة تتحدث؟

وتأتي (quel) للتعبير عن التعجب (exclamation) كما هو مبين في الجدول الآتي:

Quel + [adj. qualificatif] + المتعجب منه + !

Ex. *Quel beau soleil!*　　　يا لها من شمس جميلة!

Ex. *Quelle jolie fille!*　　　يا لها من بنت جميلة!

****

Exercices sur les adjectifs interrogatifs et exclamatifs

(1) <u>Complétez avec (quel- quelle- quels- quelles):</u>

1- ... dame est sa mère?

2- ... stylos achèterez-vous?

3- ... villes visiteras-tu?

4- ... sport préférez-vous?

5- ... histoire aimez-vous lire?

6- À ... filles parles-tu?

7- ... âge as-tu ?

8- ... est la couleur de cette robe ?

(2) <u>Voici les réponses, posez les questions en utilisant la forme convenable de l'adjectif interrogatif (quel):</u>

1- Je préfère la couleur rouge.

2- Les élèves présents sont: Mohamed, Rami, Hend et Hania.

3- La première lettre du mot stylo est s.

4- Elle a 21 ans.

5- Moi et mon frère aimons les films policiers.

6- Le blé est la principale culture en Égypte.

7- Le dernier mot de la phrase précédente est Égypte.

(3) <u>Faites des phrases exclamatives avec:</u>

quel !   quelle !

quels !   quelles !

(5) Les adjectifs indéfinis

صفات النكرة (غير المعرفة)

L'adjectif indéfini complète le sens d'un nom d'une manière vague.

الصفة النكرة (غير المعرفة) تكمِل معنى الاسم بِطريقة مبهمة أو غير معرفة.

Certains élèves sont bavards.

L'adjectif indéfini s'accorde **en genre** et **en nombre** avec le nom auquel il est lié.

تتبع الصفة غير المعرفة الاسم المرتبِطة بِه نوعًا وعددًا.

Toutes les portes sont ouvertes.

Les adjectifs indéfinis sont: الصفات غير المعرفة هِي:

Singulier		Pluriel	
Masculin	Féminin	Masculin	Féminin
Certain	Certaine	Certains	Certaines
Quel	Quelle	Quels	Quelles
Tout	Toute	Tous	Toutes
Tel	Telle	Tels	Telles
Autre		Autres	
Même		Mêmes	
Quelque		Quelques	
Chaque		Plusieurs	
Aucun	Aucune		
Nul	Nulle		

Parmi les adjectifs indéfinis les plus courants:

autre

autre: Il est précédé d'un déterminant.

تسبِقها أداة لغوية محددة لها.

** [des] est employé devant (autres) lorsque la construction [verbe+de] est utilisée.

تستخدم (des) أمام (autres) عِندما يكون بِناء الفِعل محتويًا على (de).

** On emploie [d'] devant (autres) lorsque la construction verbale est directe.

وتستخدم ('d) أمام (autres) عِندما يكون الفِعل مباشِرًا أي لا يحتاج إلى حرف جر لإعطاء المعنى المطلوب.

Donnez-moi un **autre** *stylo.*

Il a besoin **des autres** *références.*

J'ai écrit **d'autres** *lettres.*

Remarque

(1) Donnez-moi un **autre** *cahier; celui-ci est déchiré.*

(2) **L'autre** *jour, je suis allé au cinéma.*

Dans l'exemple (1) : [autre] marque la différence.

في المثال الأول autre تعطي معنى الاختلاف.

Dans l'exemple (2) : [autre] marque l'antériorité.

في المثال الثاني autre تعطي معنى الأولوية.

Certain

Il n'est pas précédé d'un déterminant.

لا تسبِقها أداة لغوية محددة لها.

Ex.: **Certains** arbres de notre jardin sont morts.

Chaque

Il est toujours au singulier.

تستخدم دائمًا في حالة المفرد.

Ex. : Mon père va au travail **chaque** jour.

Même

Il est précédé d'un déterminant.

تسبِقها أداة لغوية مُعرفة لها.

Ex. : Elle aime lire la **même** histoire deux fois.

Plusieurs

Il est toujours au pluriel

تستخدم دائمًا في حالة الجمع.

Ex. : *Il a écrit **plusieurs** poèmes.*

Quelque (ou quelques)

Il peut donner les deux sens [peu] ou [plusieurs] selon le contexte.

مِن المُمكِن أن تعطِي معنى (قلِيل مِن) أو (مجموعة مِن) وذلِك حسب السياق.

Ex. : *J'ai trouvé **quelque** difficulté en apprenant la langue.* [peu].

*Je suis allé au cinéma avec **quelques** amis.* [plusieurs].

Tout

Il est suivi par un déterminant, ce terme varie selon le nom suivant.

تتبعها أداة لغوِية معرفة، وتتغير tout على حسب الاسم الذي يتبعِها.

1- **tout** : devant un nom masculin singulier.

تستخدم أمام اسم مفرد مذكر.

Ex. : ***Tout*** *élève écrit dans son cahier.*

2- **toute** : devant un nom féminin singulier.

تستخدم أمام اسم مفرد مؤنث.

Ex. : Toute fille aime son amie.

3- **toutes**: devant un nom pluriel féminin.

تستخدم أمام اسم جمع مؤنث.

Ex. : Toutes les robes sont belles

4- **tous**: devant un nom pluriel masculin.

تستخدم أمام اسم جمع مذكر.

Ex. : Il a fini tous ses devoirs.

Aucun (ou aucune)

Il est toujours au singulier.

تستخدم دائمًا في المفرد.

Ex.: Elle ne connaît aucune voisine.

هي لا تعرف ولا جارة.

Tel

Peut indiquer la ressemblance.

يمكن أن تشير إلى التشابه.

Ex. : *Je voudrais un jardin **tel** que le vôtre.*

Aussi, (**tel**) peut indiquer le degré.

يمكن أن تشير أيضًا إلى الدرجة.

Ex. : *Quand il apprit son succès à l'examen, Abdallah éprouva une **telle** joie qu'il se mit à danser.*

Exercices sur les adjectifs indéfinis

(1) Choisissez la bonne réponse:

(1) Donnez-moi une … jupe. (chaque, autre, autres, plusieurs).

(2) … filles de notre classe parlent le français couramment.

(Mêmes, Chaque, Toutes, Certaines).

(3) … enfant aime ses parents. (Chaque, Autre, Certain, Tous).

(4) Il chante toujours les … chansons. (mêmes, certains, même, toutes).

(5) Il a visité … musées. (tout, plusieurs, même, aucun).

(6) Je partirai pour … jours. (mêmes, tous, chaque, quelques).

(7) Nous aimons … le monde. (tout, plusieurs, chaque, autre).

(8) Je n'ai reçu … lettre. (plusieurs, chaque, aucune, toute).

(9) Il parle … gens. (des autres, des tous, d'autres, des plusieurs).

(10) Elle a envoyé … messages. (des autres, d'autres, chaque, mêmes).

(2) Faites des phrases avec les adjectifs indéfinis suivants:

- chaque   - tel

- quelques   - tous

- même   - certain

****

59

(6) Les adjectifs numéraux

الصفات العددية

هناك نوعان من الصفات العددية:

1. L'adjectif numéral cardinal [un, deux, trois…]

1. الصفات العدِدية الأصِلية.

a. Il indique la quantité du nom mentionné.

أ. تدل على كمية أو عدد الاسم المذكور.

J'ai acheté trois cahiers.

Thomas a deux frères et une sœur.

b. Il est toujours invariable, sauf :

ب. لا تتبع الاسم المذكور نوعًا أو عددًا ما عدا الأرقام: (1، 20، 100):

Masculin	Féminin
Un	Une
Vingt	Vingte
Cent	Cente

Ex.: Il partira dans **cinq** minutes.

Ex.: Trois **cents** élèves.

Remarque

Dans les dates on écrit: mil ou mille.

*En **mil** neuf cent trente-cinq.*

في سنة 1935

[Ou] *en **mille** neuf cent trente-cinq.*

Mais on écrit: *Deux **mille** hommes.*

ألفا رَجُل.

2. **L'adjectif numéral ordinal.** [premier, deuxième, troisième...].

2. الصفات العددِية الترتِيبِية.

a. Il indique l'ordre ou le rang.

أ. تدل على الترتِيب أو التصنِيف

*Ex. : Je préfère le **sixième** pantalon.*

b. Il s'accorde en genre et en nombre avec le nom.

ب. تتبع الاسم نوعًا وعددًا.

*Ex. : Tu as lu les **premières** leçons du livre.*

c. Il est généralement terminé par (-**ième**)

ج. تنتهي دائمًا بالمقطع (ième-)

Ex. : deuxième, cinquième, septième...

Remarque:

** **premier** se transforme à **unième** dans les nombres composés: vingt et unième....etc.

On ne dit pas لا تقل	On dit قل
Le deuxième janvier; le sixième mars	Le deux janvier; le six mars. (mais on dit: le premier janvier; le premier mars)
Le roi Louis cinquième	Le roi Louis cinq (mais on dit: le roi Louis premier)
La page deuxième	La page deux (mais on dit: la deuxième page)

لا تنسّ:

- عند تحويل الرقم خمسة cinq إلى صفة ترتيبية لا تنسَ إضافة حرف [u] قبل إضافة المقطع ième

الطابق الخامس.   Le **cinquième** étage.

- عند تحويل الرقم تسعة neuf إلى صفة ترتيبية لا تنسَ تحويل حرف [f] إلى ve

الكتاب التاسع.   Le **neuvième** livre.

Exercices sur les adjectifs numéraux

(1) Écrivez en lettres:

- 45
- 133
- 20
- 17

- 100
- 80
- 1999
- 2010

(2) Écrivez en chiffres:

- dix
- zéro
- vingt et un
- quatre vingts

- deux cent
- soixante dix-sept
- mille et cent
- quarante deux

L'interrogation

الاستفهام

D'abord, Il y a trois formes de l'interrogation:

للاستفهام نوعان:

(A) **Une interrogation simple**: se forme :

1- Avec **intonation montante**. C'est la forme la plus simple et la plus courante:

جملة خبرية بنغمة سؤال وهو السؤال الأكثر انتشارًا وتكون بوضع علامة الاستفهام في نهاية الجملة العادية.

Ex. : *Ali est anglais ?*   هل علي إنجليزي؟

2- Interrogation en plaçant le verbe avant le sujet.

استفهام بتقديم الفعل على الفاعل.

Ex. : *Finis-tu ton devoir?*   هل تُنهي واجبك؟

Si le verbe se termine par une voyelle, on place [-**t**-] entre le verbe et les pronoms [il/elle].

يوضع حرف t بين الفعل والضمير [il/elle]. إذا انتهى الفعل بمتحرك.

Ex. : *Aime-t-il nager?* هل هو يحب السباحة؟

3- Interrogation avec "**est-ce que**":

Ex. : *Est-ce que vous êtes japonais ?* هل أنت ياباني؟

ملحوظة: يمكن أن نعتبر أن السؤال بهذه الطرق يركز على الجملة كلها. (Interrogation totale) وتكون الإجابة على هذا السؤال بـ Oui [ou] Non في السؤال المثبت.

Est-ce que nous pouvons aller au Caire au soir ?

- Oui, nous pouvons y aller au soir.

- Non, nous ne pouvons y pas aller au soir.

As-tu acheté des pantalons ?

- Oui, je les ai achetés.

- Non, je ne les ai pas achetés.

إذا كان السؤال منفيًّا نستخدم (Si) للإجابة بالإثبات، ونستخدم (Non) للإجابة بالنفي.

Il ne va pas à l'école ? = *Ne va-t-il pas à l'école ?*

- Si, il y va chaque jour.

- Non, il n'y va pas.

(B) Une **interrogation composée** avec un mot interrogatif et repose sur une partie de la phrase.

- الاستفهام المركب باستخدام كلمة استفهام، ويركز على جزء من الجملة (ربما الفاعل أو المفعول أو غيره).

Qui est entré de la porte ?

- Hassan est entré de la porte.

Pourquoi vas-tu au lycée ?

- Je vais au lycée pour apprendre les sciences.

Les mots interrogatifs sont :   كلمات الاستفهام هي

Comment	كيف؟	Pourquoi	لماذا؟
Qui	مَن؟	Que	ما/ ماذا؟
Quoi	ما/ ماذا؟	Quand	متى؟
Où	أين؟	Quel	ما/ أي

Comment

كيف؟ وتستخدم للسؤال عن الحال.

Comment ça va ?

كيف حالك؟

Comment allez-vous ?

كيف حالكم؟

لتوجيه السؤال إلى أكثر من شخص أو إلى شخص واحد لا نعرفه على سبيل الأدب والاحترام.

أيضًا نستخدم comment للسؤال عن الطريقة أو الكيفية la manière

Ex. : Comment vas-tu au lycée ?

كيف تذهب إلى المدرسة؟

= **Comment est-ce que** tu vas au lycée ?

- Je vais au lycée en taxi.

Ex. : Comment t'appelles-tu ?

ما اسمك؟

= **Comment** vous appelez-vous ?

ما اسمك؟ (للاحترام والأدب)

= **Comment** vous vous appelez ?

- Je m'appelle ......

‏** هناك طريقتان لتكوين السؤال بغض النظر عن كلمة الاستفهام المستخدمة:

‏1- باستخدام كلمة est-ce que بعد كلمة الاستفهام، ثم بعدها جملة كاملة كالتالي:

كلمة استفهام	+ est ce que	فاعل +	فعل +	مفعول + ؟

Ex. : Comment est-ce que tu fais le devoir?

‏كيف تفعل الواجب؟

‏2- بتقديم الفعل على الفاعل ومن ثم يحذف est-ce que من السؤال كالتالي:

كلمة استفهام	فعل +	فاعل +	مفعول + ؟

Ex. : Comment fais-tu le devoir ?

‏كيف تفعل الواجب؟

Pourquoi

‏لماذا؟ تُستخدم للسؤال عن السبب (la cause et but).

*Ex. : **Pourquoi** est-ce que tu vas au club ?*   = ***Pourquoi** vas-tu au club ?*

- Je vais au club **pour faire du sport.**

*Ex. **Pourquoi** est-ce que tu économises ton argent ?* = ***Pourquoi** économises-tu ton argent ?*

- J'économise mon argent **pour acheter un livre.**

‏لاحظ أن حرف الجر pour يأتي بعده فعل في المصدر.

Quand

متى؟ تستخدم للسؤال عن الوقت (le temps).

*Ex. : **Quand** est-ce que tu te lèves ?*   *= Quand te lèves-tu ?*

- Je me lève à 7 h. du matin.

*Ex. : **Quand** est-ce que nous pouvons aller au cinéma ?*

- Nous pouvons aller au cinéma au soir.

Où

أين؟ تستخدم للسؤال عن المكان (le lieu).

*Ex. : **Où** est-ce que tu habites ?*   *= Où habites-tu ?*

أين تسكن؟

- Je habite au Caire.

*Ex. : **Où** est-ce que le festival aura lieu ?*

أين سينعقد المهرجان؟

- Le festival aura lieu à Tanta.

Quel

لا تنسَ أن quel يتغير شكلها حسب ما تسأل عنه كالآتي:

Singulier		Pluriel	
Masculin	Féminin	Masculin	Féminin
Quel	Quelle	Quels	Quelles

*Ex. : **Quel** âge as-tu ?*

ما عمرك؟

- J'ai 20 ans.

*Ex. : **Quel** jour sommes-nous aujourd'hui ?*

في أي يوم نكون نحن؟

- Nous sommes le vendredi, aujourd'hui.

*Ex. : **Quelles** couleurs est-ce que tu préfères ?*

ما الألوان التي تفضلها؟

= **Quelles** couleurs préfères-tu ?

أي الألوان تفضل؟

- Je préfère la couleur rouge.

للسؤال عن السعر نستخدم إحدى هذه الصيغ:

1- Quel est le prix de + اسم السلعة؟

2- Combien coûte + سلعة؟

3- Combien ça fait ?

Que / Qu'est-ce que .... ?

ما/ ماذا؟ تستخدم للسؤال عن المفعول به غير العاقل.

Ex. : *Qu'est-ce qu'elle a acheté ?*   = *Qu'a-t-elle acheté ?*

ما الذي اشترته؟

- Elle a acheté une robe rouge et une jupe noire.

ملحوظة: صيغتا الاستفهام السابقتان واحدة لأن est-ce que الموضوعة بعد أداة الاستفهام que ليس لها معنى، وإنما هي تقوم بترتيب الجملة بحيث يتبعها فاعل ثم فعل.

Qui / qui est-ce que ?

من؟ تستخدم للسؤال عن الفاعل.

Ex. : *Qui fait ce travail ?*

من يقوم بهذا العمل؟

- Le mécanicien fait ce travail.

Ex. : De qui parlez-vous ?

عمن تتحدثون؟

- Nous parlons de notre devoir.

Ex. : Avec qui vas-tu au collège ?

مع من تذهب إلى المدرسة؟

- Je vais au collège avec mon ami Rami.

Quoi …. ?

للاستفهام عن شيء.

Ex. : De quoi parle le président ?

عن أي شيء يتحدث الرئيس؟

- Le président parle du chômage

الرئيس يتحدث عن البطالة.

Ex. : En quoi est ton pantalon ?

من أي مادة يكون بنطلونك؟

- Mon pantalon est en cotton.

بنطلوني مصنوع من القطن.

```
┌─────────────────────────────────────┐
│            Combien de ...             │
└─────────────────────────────────────┘
```

كم؟ تستخدم للسؤال عن العدد أو الكمية (la quantité).

*Ex. : **Combien de** fois vas-tu au club ?*

كم عدد المرات التي تذهب فيها إلى النادي؟

- Je vais au club deux fois par semaine.

*Ex. : **Combien de** romans as- tu lu ?*

كم عدد الروايات التي قرأتها؟

- J'ai lu dix romans.

*Ex. : **Combien** coûte cette chemise ?*

كم يتكلف هذا القميص؟

- Cette chemise coûte 100 dollars.

****

Les Pronoms

الضمائر

[III] Les Pronoms

الضمائر

Le pronom est un mot qui remplace du nom.

الضمِير: هو كلِمة تأخذ مكان الاسم وتحل محله.

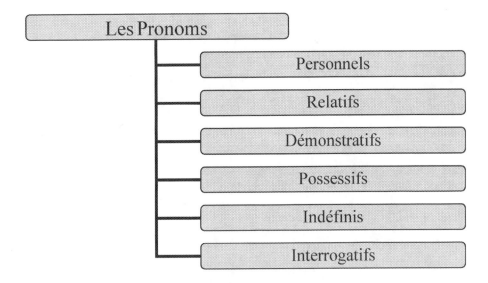

(1) Les pronoms personnels

الضمائِر الشخصية

Le pronom personnel remplace un nom et prend le genre et le nombre du mot remplacé.

يحل الضمير الشخصي محل الاسم فيكون له نفس نوعِهِ وعددِهِ.

Sujet		Tonique	Complément direct (1)	Complément direct (2)
Je	أنا	Moi	Me, moi	
Tu	أنتَ، أنتِ	Toi	Te, toi	Le
Il	هو	Lui	Se	
Elle	هي	Elle		La
Nous	نحن	Nous	Nous	
Vous	أنتم، أنتن	Vous	Vous	L'
Ils	هم	Eux	Se	Les
Elles	هن	Elles		
Complément Indirect				
Lui, leur				
Pronoms Neutres				
Soi, en, y				

(1) Les pronoms personnels (sujet)

الضمائر الشخصية التي تأتي فاعلاً

(*Je, tu, il, elle, nous, vous, ils, elles*).

Ex. **Il** va au lycée.

Le pronom sujet est parfois placé après le verbe, notamment:

يقع ضمير الفاعل أحيانًا بعد الفعل في الحالات الآتية:

1- Quand la proposition commence par: *aussi, encore, peut-être, à peine, … etc.*

1- عندما تبدأ الجملة بإحدى الكلمات السابقة.

Ex. Il a bien travaillé, aussi **sait-il** sa leçon.

2- Dans les propositions interrogatives.

2- في الجملة الاستفهامية.

Ex. **Comprenez-vous** la leçon ?

3- Après les verbes: dire, répondre, *ajouter, demander, etc.* dans le discours direct.

3- في الحديث المباشر بعد الأفعال السابقة.

Ex. Le directeur parle aux élèves : "je veux, **dit-il**, que vous travailliez."

(2) Les pronoms toniques

ضمائر التوكيد

(Moi, toi, lui, elle, nous, vous, eux, elles)

Le pronom tonique utilisé pour accentuer le sujet de la phrase et le confirmer.

ضمير التوكيد يستخدم للتأكيد على الفاعل وتوضيحه.

Ex. **Moi**, je m'appelle Abdallah.
Ex. Qui a parlé ?   - C'est **elle**.

Remarque:

Le complément indirect est précédé par une préposition (*sans, avec, pour, chez, à, ...etc.*).

يلاحظ: أن الضمير يحل محل المفعول به ويأتي بعد حرف الجر الذي لم يُحذَف.

Ex. Il va au lycée avec ses amis. - Il va au lycée **avec eux**.

(3) Les pronoms compléments directs

ضمائر المفعول المباشر

(*Me, te, se, nous, vous, se*)

لاحظ أن هذه الضمائر تمثل أشكال الضمير (se) في الأفعال ذات الضميرين.

Ex. Je **me** lave.

Je = sujet   me = C.O.D   lave = verbe

(C.O.D) = *Complément d'Objet Direct.*

(4) Les pronoms compléments directs (le, la, l', les)

Remplace un complément (*une chose*) n'est pas précédé par une préposition.

تحل محل مفعولًا به مباشرًا (غير عاقل) غير مسبوق بحرف جر.

Le

Remplace un nom masculin singulier.

تحل محل اسم مفرد مذكر.

Ex. Il lit **le roman**.   - Il **le** lit.

La

Remplace un nom féminin singulier.

تحل محل اسم مفرد مؤنث.

Ex. Je regarde **la** télé.   - Je **la** regarde.

L'

Remplace un nom singulier (*féminin ou masculin*) devant un verbe commencé par une voyelle.

تحل محل اسم مفرد مذكر أو مؤنث يبدأ فعله بمتحرك.

Ex. Il ouvre **son** sac.   - Il **l'**ouvre.

Les

Remplace un nom pluriel.

تحل محل اسم جمع.

Ex. Nous préférons **ces** jouets.   - Nous **les** préférons.

لاحظ فيما يلي الإجابة عن الأسئلة بالإثبات والنفي مع استبدال المفعول به بالضمير المناسب:

Regardes-tu le match?

- Oui, je **le** regarde.

- Non, je ne **le** regarde pas.

Aimez-vous les gâteaux ?

- Oui, je **les** aime.

- Non, je ne **les** aime pas.

لاحظ أنه في حالة الإجابة بالإثبات يوضع الضمير قبل الفعل، وفي حالة الإجابة بالنفي يوضع الضمير الشخصي والفعل بين ne pas

Voici mon stylo.	- **le** voici.
Voilà ma gomme.	- **la** voilà.

لاحظ في المثالين السابقين وقوع الضمير الشخصي قبل voici و voilà

Vois-tu la voiture ?	- **la** vois-tu ?
Ne vois-tu la voiture ?	- ne **la** vois-tu ?

لاحظ موقع الضمير الشخصي عندما تكون العبارة في صيغة الاستفهام أو الاستفهام المنفي.

Écris ce devoir.	- écris-**le**.

لاحظ في الأمر المثبت موقع الضمير الشخصي بعد الفعل.

N'ouvre pas la porte.	- ne **l'**ouvre pas.

لاحظ في الأمر المنفي وقوع الضمير الشخصي قبل الفعل.

(5) Les pronoms compléments indirects: (lui, leur)

ضمائر المفعول غير المباشر

Remplace un complément précédé par une préposition comme : (*à, avec, dans, chez, sous, sur.....etc.*).

وهي التي تحل محل مفعول به (عاقل) مسبوق بحرف جر من أحد الحروف السابقة.

Lui

Remplace un complément (*une personne*) masculin ou féminin, singulier

تحل محل مفعولًا به مفردًا مذكرًا أو مؤنثًا غير مباشر عاقل مسبوق بحرف جر.

Ex. Je parle à mon ami.   - Je <u>lui</u> parle.

Leur

Remplace un complément (*une personne*) masculin ou féminin pluriel.

تحل محل مفعولا به جمع مذكر أو مؤنث غير مباشر عاقل مسبوق بحرف جر.

Ex. J'écris à mes parents.   - Je <u>leur</u> écris.

لاحظ في الجمل الآتية كيف يحل الضمير الشخصي محل المفعول به غير المباشر:

Nada écrit à ses amies.   - Nada **leur** écrit.

Je parle à mon maître.   - Je **lui** parle.

لاحظ فيما يلي كيف تجيب عن السؤال مع استبدال المفعول به غير المباشر بالضمير المناسب:

Répond-elle au professeur ?

- Oui, elle **lui** répond.

- Non, elle ne **lui** répond pas.

Écrit-il à sa sœur ?

- Oui, il **lui** écrit.

- Non, il ne **lui** écrit pas.

Fait attention   [انتبه]

1- Leur إذا سبقت الفعل تكون ضمير شخصي يحل محل مفعول به غير مباشر عاقل، أما إذا سبقت الاسم تكون صفة ملكية وتتغير حسب الاسم المملوك.

Ex. Les filles aident **leurs** mères.

2- بصفة عامة lui, leur يقعان قبل الفعل، أما في حالة الأمر المثبت فيقعان بعد الفعل.

Ex. **Donne-lui** ce cadeau.

3- إذا كان المفعول به مسبوقًا بحرف جر ما دون à, aux, au مثل

avec, chez, sans, pour, par, ... etc.

فإننا نستخدم الضمائر التالية:

للجمع المذكر	eux	للمفرد المذكر	lui
للجمع المؤنث	elles	للمفرد المؤنث	elle

Thomas voyage avec **ses amis**.

- Thomas voyage <u>**avec eux**</u>.

Hend part chez **sa tante**.

- Hend part <u>chez elle</u>.

يُلاحظ أن الضمير يحل محل المفعول غير المباشر، ويأتي بعد حرف الجر الذي لم يُحذف.

> ## (6) Le pronom neutre: en

Le pronom **en** remplace un complément précédé par:

الضمير en يحل محل مفعول به مسبوق بـ:

1- article indéfini: (*un, une, des*).

1- إحدى أدوات النكرة.

Avez-vous un crayon ?

- Oui, j'**en** ai un.

- Non, je n'**en** ai pas.

لاحظ تكرار Un, une في الإثبات فقط.

2- article partitif: (*du, de la, de l', des*).

2- إحدى أدوات التجزئة.

Buvez-vous du vin ?

- Oui, j'**en** bois.

- Non, je n'**en** bois pas.

3- adjectif numéral cardinal: (*un, deux, trois…etc.*).

3- إحدى الصفات العددية.

As-tu deux frères ?

- Oui, j'**en** ai deux.

- Non, je n'**en** ai pas.

لاحظ تكرار العدد deux في الإثبات فقط.

4- adjectif indéfini: (*plusieurs, quelques…etc.*).

4- إحدى الصفات غير المعرفة

Avez-vous plusieurs cahiers ?

- Oui, J'**en** ai plusieurs.

- Non, Je n'**en** ai pas.

لاحظ تكرار كلمة plusieurs في الإثبات فقط.

5- adverbe de quantité: (*assez, peu, beaucoup...etc.*).

5- إحدى ظروف الكمية

As-tu assez de la tomate?

- Oui, j'**en** assez.

- Non, je n'**en** pas.

لاحظ تكرار كلمة assez في الإثبات فقط.

6- un nom de chose ou un pronom neutre précédé de la préposition [**de**] et complément d'un nom, d'un adjectif, d'un pronom ou d'un verbe.

6- اسم شيء أو ضمير محايد مسبوق بحرف الجر de

Montrez-moi ce livre.

- Quel est le prix de ce livre?

- Quel **en** est le prix?

Remarque:

Le pronom **en** est toujours complément et s'emploie sans préposition.

On ne dit pas	On dit
Donnez-moi-en.	*Donnez-m'en.*
Va-toi-en.	*Va-t'en.*
Donne-en.	*Donnes-en.*

(7) Le pronom neutre Y

Le pronom **y** remplace un nom de chose ou un pronom neutre précédé de la préposition à et complément d'un verbe.

الضمير y يحل محل اسم شيء أو ضمير محايد (لا يتغير) مسبوق بحرف الجر à ومفعول لفعل.

Pensez-vous à votre examen?   -Oui, j'**y** pense.

A-t-il songé à cela?   - Oui, il **y** a songé.

Remarque:

1- Le pronom y est toujours complément indirect et s'emploie sans préposition.

1- يأتي دائمًا الضمير y مفعول به غير مباشر ويستخدم بدون حرف جر.

2- Souvent **y** est adverbe de lieu. Il remplace alors un complément de lieu.

2- يكون الضمير y غالبًا ظرف مكان.

3- Le pronom [**y**] ne vient pas devant [v. aller] au futur simple ou conditionnel présent.

3- الضمير y لا يقع أبدًا أمام فعل aller في زمن futur simple أو conditionnel présent.

Ex. Irez-vous au cinéma?

- Oui, nous irons.

On ne dit pas	On dit
J'y irai	J'irai
J'y irais	J'irais
Va-y	Vas-y

(8) Le pronom neutre soi

Le pronom **soi** est toujours complément indirect. On l'emploie quand le sujet du verbe est un mot indéfini (pronom ou infinitif).

يأتي الضمير soi كمفعول به غير مباشر ويستخدم عندما يكون الفاعل كلمة غير محددة (ضمير أو مصدر).

Ex. Chacun travaille pour soi.

Ex. Penser à soi est agréable.

Remarques sur l'emploi de certains pronoms

1- *je, me, se, le, la* élident [e] ou [a] devant une voyelle ou une h muette.

1- يحذف e أو a من هذه الضمائر: je, me, se, le, la أمام حرف متحرك أو h صامتة.

Ex. J'écris ----- Vous ne m'écoutez pas. -----   Je m'appelle.

2- Le pronom [se] est employé dans la conjugaison des verbes pronominaux.

2- يستخدم الضمير se لتصريف الأفعال ذات الضميرين.

Ex. Il se lave --------- Elles s'appellent.

3- Par politesse, nous remplaçons tu, te et toi par vous.

3- على سبيل الأدب vous يستخدم بدلاً من tu, te et toi

Ex. Ali, je vous parle.

Ex. Mohamed, levez-vous.

4- Souvent les pronoms: (*moi, toi, soi, elle, nous, vous, eux, elles*) sont renforcés par le mot **même**.

4- تضاف كلمة même إلى الضمائر السابقة للتأكيد على هذه الضمائر أو لتدعيمها.

Ex. Qui a fait ce devoir ?   - C'est moi-même.

Place des pronoms personnels

ترتب الضمائر الشخصية كالتالي:

1	2	3	4	5	6
Je	Me (m')				
Tu	Te (t')				
Il/elle	Se (s')	Le (l')	Lui		
Nous	Nous	La (l')			
Vous	Vous	Les	Leur	Y	En
Ils/elles	Se (s')				

En général, le pronom personnel se met avant le verbe.

بصفة عامة يوضع الضمير الشخصي قبل الفعل (في الأزمنة البسيطة) ولكن في الأزمنة المركبة يوضع الضمير الشخصي قبل الفعل المساعد.

Ex. Je le vois ------- Nous en mangeons.

Fait attention

[انتبه]

1- À l'impératif, forme affirmative les pronoms personnels sont après le verbe.

1- في زمن الأمر المثبت يوضع الضمير الشخصي بعد الفعل.

Ex. Voici un crayon, **prenez-le**.

Ex. Voici une orange, **mangez-la**.

2- À la conjugaison négative ou négative interrogative, on met le pronom personnel complément et le verbe (*dans les temps simples*) ou l'auxiliaire (*dans les temps composés*) entre **ne** et **pas**.

2- في التصريف المنفي أو الاستفهام المنفي يوضع الضمير الشخصي والفعل (في الأزمنة البسيطة) أو الفعل المساعد (في الأزمنة المركبة) يوضعان بين ne .....pas

Ex. Je ne **le** vois pas.   - Ne **me** vois-tu pas ?

Ex. Je ne **l'**ai pas vu.   - Ne **m'**as-tu pas vu ?

3- On appelle *"pronom réfléchi"* le pronom personnel complément qui représente la même personne que le sujet, on le trouve dans les verbes pronominaux.

3- "الضمير المنعكس" يمثل الفاعل وهو ما نراه في الأفعال ذات الضميرين.

Ex. Je m'appelle Abdallah.

Ex. Il se lave.

4- On appelle *"pronom ordinaire"* le pronom personnel complément qui ne représente pas la même personne que le sujet.

4- "الضمير العادي" لا يمثل الفاعل كما في الأمثلة التالية:

Ex. Tu me prêteras ton livre ?   - Oui, je **te le** prêterai.

Ex. Tu me donneras un sac ?   - Oui, je **t'en** donnerai un.

في المثال السابق لاحظ تكرار أداة النكرة un في الإثبات.

****

Exercices sur les pronoms personnels

(1) <u>Complétez avec: (je, tu, il, nous, vous, elles):</u>

1- Mon frère travaille dur, alors ... dort tôt.

2- Tu es jordanien ? Non, ... suis égyptien.

3- ... as perdu ton manteau!

4- ... vous appelez Mohamed et Ali ?

5- Sont- ... des touristes ?

6- ... allons au bord de la mer.

(2) <u>Remplacez les mots en italiques par le pronom personnel convenable:</u>

1- Voici mon ami, j'aime *mon ami*.

2- Ouvre *la fenêtre*.

3- Voici la rue, j'habite *dans cette rue*.

4- Tu regardes *le film*.

5- Les enfants sont arrivés *chez leur tante*.

6- *Hoda* n'aime pas *sa maîtresse*.

7- *Toi et ton frère* écrivez *les devoirs*.

(3) **Répondez aux questions suivantes affirmativement et négativement en remplaçant le complément par un pronom personnel convenable:**

1- Vous voulez le couteau?

2- Avez-vous les photos?

3- A-t-il invité notre voisin à la fête?

4- As-tu parlé de cette affaire à tes amis?

5- Vous avez beaucoup de fleurs?

(4) **Remplacez les mots soulignés par un pronom personnel convenable:**

1- Elle parle à sa sœur.

2- Ma mère prépare le repas, j'aide ma mère.

3- Donne ce livre à ton ami Rami.

4- Voici le cinéma.

5- J'ai écrit à mes parents.

6- Fermez les livres.

7- L'homme a perdu son fils au village.

(5) Remplacez les mots soulignés par un pronom personnel convenable:

1- Je mange les fruits.

2- Voici le thé, prenez le thé.

3- Voulez-vous cette chemise ?

4- La mère a-t-elle acheté des pommes ?

5- Regardez au tableau.

6- Mange ce sandwich.

7- Il y a des intéressants livres dans la classe, pouvez-vous m'apporter un livre ?

(6) Remplacez les mots soulignés par un pronom personnel convenable:

1- Le concierge fait le ménage dans la rue devant l'immeuble le dimanche.

2- Il a oublié son livre dans le jardin.

3- Mes parents ne connaissaient pas l'Internet.

4- Le père a conduit son fils chez le dentiste.

5- Abdallah va lire ce roman demain.

6- Le journaliste a pris ces photos après l'accident.

7- Hamed aime son ami.

(2) Les pronoms relatifs

ضمائر الوصل

Le pronom relatif remplace un nom ou un pronom et relie deux phrases (une proposition principale et une proposition subordonnée) pour éviter la répétition.

يحل ضميرِ الوصل محل اسم أو ضميرٍ آخر، ويربِط جملتينِ لِتِجنب التكرار. في المثال التالي:

Ex. Je connais la fille. Elle marche dans la rue.
- Je connais la fille **qui** marche dans la rue.

الجملة الرئيسية هي: Je connais la fille

الجملة التابعة هي: qui marche dans la rue.

وضمير الوصل qui يربط الجملة التابعة بالاسم la fille والذي حل محله الضمير elle.

وضمائر الوصل هي: qui, que, quoi, dont, où, lequel

Qui

Utilisé pour les personnes et pour les choses et vient comme sujet.

[qui] يستخدم للعاقل وغير العاقل ويقع فاعلًا، مثل:

> *Ex.* L'homme **qui** travaille réussit.

[qui] مسبوقًا بحرف جر يستخدم دائمًا مع العاقل ويقع دائمًا مفعولًا به مباشرًا.

> *Ex.* Il sait **à qui** il parle.

Le pronom relatif (qui) utilisé:

A	Avec un antécédent (représenté par le pronom relatif) <div dir="rtl">مع اسم أو ضمير عائِدٍ يِشِير إِلِيهِ (antécédent)</div>	*Ex.* Il a puni l'élève qui bavarde beaucoup.
B	Sans antécédent <div dir="rtl">دون عائِدِ الاسم الموصول</div>	*Ex.* Qui étudie bien, réussira.
C	Avec le pronom (ce) <div dir="rtl">مع الضمير (ce)</div>	*Ex.* Choisis ce qui te plaît.

Que

Utilisé pour les personnes et pour les choses et vient toujours complément d'objet direct.

[que] ضمير وصل يستعمل للعاقل وغير العاقل، ويقع دائمًا مفعولًا به مباشرًا.

Je lis l'historie **que** j'ai achetée hier.	لقد قرأت القصة التي اشتريتها بالأمس.

يمكن أن يأتي ضمير الوصل que في صيغة مباشرة مع الضمير (ce)، مثال:

Ex. Dites-moi **ce que** vous avez fait.

لاحظ أنه يحذف حرف e من ضمير الوصل que أمام حرف متحرك أو h صامت.

Ex. Voilà la fille **qu'**il aime.

Dont

Un pronom relatif remplace un complément précédé par la préposition **de**

[Dont] ضمير وصل يحل محل مفعول به مسبوق بحرف الجر (de)

Ex. J'ai quitté la chambre **dont** la clé est cassée (*la clé de la chambre*).

لقد أخليت الغرفة التي كُسر مفتاحها (مفتاح الغرفة).

Ex. Il a perdu le livre **dont** il a besoin (*il a besoin du livre*).

لقد فقد الكتاب الذِي هو بِحاجة إِليه (هو بِحاجة لِلكتاب).

Ex. J'ai entendu tout ce **dont** il a parlé (*tous les sujets dont il a parlé*).

لقد سمِعت كل ما تحدث عنه (كل المواضِيع التي تحدث عنها).

Voici un livre, j'ai besoin **de ce livre**.

- Voici un livre **dont** j'ai besoin

في المثال السابق استبدل المفعول ce livre وحرف الجر de بضمير الوصل dont

أيضًا ضمير الوصل dont يمكن أن يحل محل son, sa, ses

Ex. Rami est mon ami, **ses** chemises sont propres.

- Rami est mon ami **dont** les chemises sont propres.

Où

Si le pronom relatif [où] avait un antécédent, il est considéré comme un pronom relatif de complément circonstanciel de lieu.

[où] إذا كان له عائد في الجملة يعتبر ضمير وصل مفعولًا به ظرفيًا للمكان مثال:

Ex. Voici l'école **où** nous étudions.

ها هي المدرسة التي بها ندرس.

لاحظ أن où في المثال السابق له عائد وهي l'école ولذلك فهو ضمير وصل.

[Où] est considéré comme un adverbe de lieu s'il n'y a pas un antécédent

يعتبر où ظرف مكان إذا لم يكن له عائد antécédent مثال:

Ex. C'est au cinéma où j'aime aller.

إنها السينما حيث أحِب أن أذهب

Ex. Où es-tu ?

أين أنت؟

Lequel

Lequel un pronom relatif utilisé pour les personnes et pour les choses et vient après une préposition: sous, dans, vers, chez, à, sur, sans, de,... etc.

ضمير الوصل [lequel] يستعمل للعاقل وغير العاقل، ويأتي بعد أحد حروف الجر السابقة.

انتبه: lequel يتغير شكلها حسب الاسم الذي تحل محله كالتالي:

Singulier		Pluriel	
Masculin	**Féminin**	**Masculin**	**Féminin**
Lequel	Laquelle	Lesquels	Lesquelles

Ce sont les lunettes sans lesquelles il ne peut pas lire [lire sans les lunettes].

هذهِ هِي النظارات التِي لا يستطيعِ بِدونِها القِراءة.

Ex. Voici le stylo avec **lequel** j'écris.

ها هو القلم الذي أكتب به.

لاحظ أن lequel يدغم بعد حرفي الجر (à / de) كالتالي:

de + lequel	= duquel
de + lesquels	= desquels
de + lesquelles	= desquelles
à + lequel	= auquel
à + lesquels	= auxquels
à + lesquelles	= auxquelles

Ex. L'adresse **à laquelle** j'envoie la lettre est en Égypte [*envoyer à l'adresse*].

العنوان الذي أبعث الرسالة عليهِ في مِصر.

Ex. Il a eu un accident à la suite **duquel** il est mort [*à la suite de l'accident*].

تعرض لِحادِث وعلى أثرِهِ تُوفي.

يمكن أن نستبدل (auquel) بـ (à qui) على أساس أن الضمير يعود على العاقل مثال:

Ex. L'homme **auquel** je vois est mon père.

= l'homme **à qui** je vois est mon père.

****

Exercices sur les pronoms relatifs

(1) Complétez avec un pronom relatif convenable:

1- C'est le football … nous intéresse le plus.

2- … marche dans la rue doit être attentif.

3- L'homme … j'ai rencontré hier, était très élégant.

4- Voici le garçon … le père est médecin.

5- Savez-vous comment s'appelle la dame … Marie parlait?

6- Tu ne sais pas … j'ai mis mes lunettes?

7- Elle ne peut pas trouver le sac … elle a mis son porte-clefs.

(2) Réunissez les deux propositions par le pronom relatif convenable:

1- Le clocher est une tour ; dans cette tour ; il y a une cloche pour appeler les Chrétiens à la prière.

2- Nous avons fait une promenade ; j'ai été enchanté de cette promenade.

3- Ce soir, j'ai pris le bus ; dans ce bus ; il y a beaucoup de gens.

4- Le Nil est un grand fleuve ; il y a de nombreux bateaux sur ce fleuve.

5- Voici le stylo ; avec ce stylo ; j'écris toutes mes leçons.

6- Dans la ville, il y a des rues ; les maisons de ces rues, portent des marques.

7- Il y a bien de hôtels au Caire et à Alexandrie, beaucoup de touristes descendent dans ces hôtels.

8- Le professeur dit qu'il a des bons élèves ; il est content de ces élèves.

(3) Les pronoms démonstratifs

ضمائر الإشارة

Le pronom démonstratif remplace un nom et montre la personne ou la chose dont on parle.

يحل ضمِير الإشارة محل الاسم، فيشِير إلى الشخص أوِ الشيء الذِي نتحدث عنه.

Ex. J'ai une montre mais je préfère **celle** de ma sœur.

لديَّ ساعة، ولكني أفضل تلك التي لأختي.

Les pronoms démonstratifs simples :

ضمائِر الإشارة البسيطة هِي:

genre ╲ nombre	Singulier	Pluriel	Neutre
Masculin	Celui	Ceux	Ce
Féminin	Celle	Celles	

Les pronoms démonstratifs composés:

ضمائر الإشارة المركبة هي:

genre \ nombre	Singulier	Pluriel	Neutre
Masculin	Celui-ci	Ceux-ci	
	Celui-là	Ceux-là	Ceci
Féminin	Celle-ci	Celles-ci	Cela
	Celle-là	Celles-là	

1. Pronoms démonstratifs indéfinis invariables:

ce - ceci - cela [ça: à l'oral].

1. ضمائرِ الإشارة غير المُعَرَّفة والتي لا تتبع الاسم نوعًا ولا عددًا:

ceci (للقريب) – cela (للبعيد)

تستخدم (ça) بدلاً مِن (cela) في اللغة العامية.

Écoutez ce qu'il dit.
Voici deux cartables, ceci pour toi et **cela** pour ton frère.

2. Pronoms démonstratifs masculins singuliers:

celui, celui-ci, celui-là.

2. ضمائرِ إشارة مفردة مذكرة:

Ex. J'ai choisi ce manteau, **celui-là** est trop cher.

3. pronoms démonstratifs féminins singuliers:

celle, celle-ci, celle-là.

3. ضمائر إشارة مفردة مؤنثة:

Ex. Il a mangé sa pomme et **celle** de sa sœur.

4. Pronoms démonstratifs masculins pluriels:

ceux, ceux-ci, ceux-là.

4. ضمائر إشارة جمع مذكر:

Ex. Il conduit ses enfants et **ceux** de son voisin à l'école.

5. Pronoms démonstratifs féminins pluriels:

celles, celles-ci, celles-là.

5. ضمائر إشارة جمع مؤنث:

Ex. J'aime les fleurs naturelles mais **celles-ci** sont artificielles.

أَحِبُّ الورود الطبيعية ولكنِ تِلك صِناعية.

Fait attention

انتبه

Le pronom démonstratif est souvent utilisé en combinaison avec un pronom relatif.

يستخدم ضمِير الإشارة غالِبًا مركبًا مع ضمِير وصل.

Ex. Voici les stylos, prends **ce qui** te plaît.	ها هِي الأقلام، خذ ما يعجِبك.

****

Exercices sur les pronoms démonstratifs

(1) Choisis la bonne réponse:

1- Ils sont plus forts que vous, n'oubliez pas … .

    A) celui   B) cela   C) celle   D) ceux

2- Il ne respecte pas … qu'elle fait.

    A) celui   B) cela   C) celle   D) ce

3- Son fils est … qui met des lunettes.

    A) celui   B) cela   C) celle   D) ceux

4- Ce livre n'est pas utile, prenez … .

    A) celui   B) celui-ci   C) celle-ci   D) ce

5- Regardez ces deux maisons: … me paraît plus grande que … .

    A) celle B) celui-ci, celle-ci   C) celles-ci, celles-là D) celle-ci, celle-là

6- Il n'y a pas une vie plus agréable que … du paysan.

    A) celui   B) cela   C) celle   D) ceux

7- … est sa mère, mais qui est …?

    A) Celle-ci, celle-là B) Celui-ci, celui-là C) Celles-ci, celles-là D) Ceci, cela

8- Les jouets de ton voisin semblent à … de mon cousin.

    A) celui   B) cela   C) celle   D) ceux

9- Elle préfère ces gants, mais je préfère … .

    A) celui   B) Ceux-là   C) Celles-là   D) celles

10- Il a cassé ses lunettes et … de son frère.

   A) ceux   B) celle   C) celles   D) ce

11- Non, … sont plus grandes.

   A) Celle-ci   B) Celles-ci   C) Celui-là   D) Ceux-là

(2) Remplacez les mots entre parenthèses par les pronoms démonstratifs convenables:

1- J'ai rencontré ton oncle, (ton oncle) est un homme sage.

2- L'anglais est (la chose) que j'apprends le plus facilement.

3- Voilà mon livre, voici (le livre) de mon frère.

4- Les hommes qui réussissent sont (les hommes) qui travaillent sérieusement.

5- (L'homme) qui explique est un professeur.

6- Les hommes du village sont moins riches que (les hommes) de villes.

(4) Les pronoms possessifs

ضمائر المِلكية

1. Le pronom possessif remplace un nom précédé par un adjectif possessif.

١. يحل ضمير المِلكِية محل اسم مسبوق بصفة ملكية.

2. Les pronoms possessifs suivent le mot qui est remplacé par le genre et le nombre.

٢. يتبع ضمير المِلكِية الكلِمة التي يحل محلها نوعًا وعددًا.

Ex. Je prendrai mes clés et **les tiennes**.

سآخذ مفاتيحِي ومفاتِيحك.

Les pronoms possessifs sont:

ضمائرُ المِلكِية هِي:

Genre	Singulier شيء واحد المملوك		Pluriel جمع المملوك	
Nombre	Masculin	Féminin	Masculin	Féminin
Singulier مالك واحد	Le mien	La mienne	Les miens	Les miennes
	Le tien	La tienne	Les tiens	Les tiennes
	Le sien	La sienne	Les siens	Les siennes
Pluriel أكثر من مالك	Le nôtre	La nôtre	Les nôtres	
	Le vôtre	La vôtre	Les vôtres	
	Le leur	La leur	Les leurs	

I- Le possesseur est une seule personne.

المالك شخص واحد

Ton crayon est rouge.	- le tien est rouge.
Mon crayon est bleu.	- le mien est bleu.
Mes souliers sont noirs.	- les miens sont noirs.
Ses souliers sont jaunes.	- les siens sont jaunes.
Ce stylo est **à lui**. = c'est son stylo.	- c'est le sien.

II- Le possesseur est pluriel.

المالك جمع

Ex. Cet appartement est à nous. = c'est notre appartement

- C'est **le nôtre**.

Ex. Ce sont vos stylos.   - Ce sont **les vôtres**.

Ex. Ces règles sont à eux. = ce sont leurs règles.

- Ce sont **les leurs**.

Ex. Cette règle est à elles. = c'est leur règle.

- C'est **la leur**.

****

Exercices sur les pronoms possessifs

(1) Complétez avec un pronom possessif convenable:

1- Il n'aime pas sa chambre, mais je suis satisfait avec … .

2- Elle a perdu son cartable, as-tu perdu …?

3- Comme ma voiture était en panne, ils m'ont prêté … .

4- J'ai fait mes devoirs, avez-vous fait …?

5- Je vais au cinéma avec mes amies, et ma sœur va avec …

6- Nos amis ne peuvent pas trouver leurs parents, et nous ne pouvons pas trouver … .

7- Son frère et … sont amis.

8- Il aime sa mère comme tu aimes … .

9- Je m'occupe de mon enfant et elle s'occupe … .

10- Elle range ses affaires et ils rangent … .

(2) Remplacez les mots entre parenthèses par un pronom possessif:

1- Mes sœurs sont studieuses, (ses sœurs) sont paresseuses.

2- Nos amis sont nombreux que (vos amis).

3- Sa composition a moins de fautes que (ma composition).

4- Mon stylo est plus long que (ton stylo).

5- Leurs leçons sont plus faciles que (mes leçons).

6- Votre chemise est rouge, aussi (leur chemise) est rouge.

7- Mon ami Abdallah est à l'université égyptienne, (son ami) est à l'université américaine.

(5) les pronoms indéfinis

الضمائر غير المعرفة (غير المحدودة)

Le pronom indéfini prend la place de personnes ou de choses et les désigne d'une manière vague ou non déterminée.

يَحل الضمِير غَيْر المعرف مَحَلّ أَشْخَاص أو أَشْيَاء فَيَصِفُهَا بِطَرِيقَة مُبْهَمَة أَوْ غَيْر مُحَدَّدَة.

Singulier		Pluriel	
Masculin	Féminin	Masculin	Féminin
Tout		Tous	Toutes
L'un	L'une	Les uns	Les unes
Quelqu'un		Quelques-uns	Quelques-unes
		Certains	Certaines
L'autre		Les autres	
Le même	La même	Les mêmes	
Personne			
Quelque chose			
Rien			
On			
Chacun	Chacune		
Aucun	Aucune		

On

[On] est toujours sujet et s'emploie seulement pour les personnes.

يستخدم الضمير [on] دائمًا كفاعل، ويأتي فقط مع الأشخاص.

Ex. __On__ fait le pain avec la farine.

Remarque (on = les hommes en général)

Après [si] et [et], nous employons **l'on** au lieu de **on**.

Ex. Ouvrez **si l'on** frappe à la porte.

Ex. Frappez **et l'on** vous ouvrira.

Quelqu'un

Le singulier [**quelqu'un**] s'emploie pour les personnes. Le pluriel [**quelques-uns**] et [**quelques-unes**] s'emploient pour les personnes et pour les choses.

يستخدم quelqu'un في المفرد مع الأشخاص، بينما يـستخدم quelques-uns et quelques-unes في الجمـع مع الأشخاص والأشياء.

Ex. Mohammed, sortez ! __Quelqu'un__ vous demande.

Ex. Il y a trente professeurs à l'école, __quelques-uns__ sont anglais.

Ex. J'ai acheté dix oranges hier, j'en ai mangé __quelques-unes__ aujourd'hui.

Quelque chose

Ce pronom s'emploie pour les choses, il est neutre.

يستعمل هذا الضمير مع الأشياء.

Ex. Ai-je <u>**quelque chose**</u> dans la main ?

Ex. Connaissez-vous <u>**quelque chose**</u> de nouveau ?

L'un .....l'autre

Les pronoms [L'**un** .....l'**autre**] s'emploient pour les personnes et pour les choses.

تستخدم هذه الضمائر مع الأشياء والأشخاص.

Ex. J'ai deux neveu (ابن الأخ); <u>**l'un**</u> est studieux, <u>**l'autre**</u> est paresseux.

Ex. Il y a beaucoup de professeurs à l'école, <u>**les uns**</u> sont anglais, <u>**les autres**</u> sont français, les autres sont

égyptiens.

Remarque: [**Autre**] est parfois précédé de l'article indéfini, ou au pluriel, de l'article partitif [**d'**].

يمكن أن تُسبق autre بأداة نكرة، وفي الجمع يمكن أن تسبق بأداة التجزئة 'd

Ex. Ces gâteaux sont très bons; donnez-m'en <u>**un autre**</u>.

En voici d'autres.

Aucun

Ce pronom s'emploie le plus souvent au singulier.

يستعمل هذا الضمير غالبًا في المفرد.

Ex. J'ai corrigé les devoirs; **<u>aucun</u>** n'a la note vingt.

Ex. J'ai cinq sœurs; **<u>aucune</u>** n'est mariée.

Personne

Ce pronom s'emploie pour les personnes; il est neutre. C'est la forme négative de **quelqu'un.**

يستعمل هذا الضمير مع الأشخاص، ويمثل صيغة النفي لـ **quelqu'un**

Ex. Y a-t-il quelqu'un dans la classe ?

- Non, il n'y a **<u>personne</u>**.

Ex. Quelqu'un est venu?

- Non, **<u>personne</u>** n'est venu.

Ex. Quelqu'un a réussi?

- Non, **<u>personne</u>** n'a réussi.

Rien

Ce pronom s'emploie pour les choses. Il est neutre. C'est la forme négative de **quelque chose**.

يستعمل هذا الضمير مع الأشخاص، ويمثل صيغة النفي لـ quelque chose

Ex. Ai-je quelque chose dans la main ?

- Non, vous n'avez **rien**.

Ex. Vois- tu quelque chose ?

-Non, Je n'ai **rien** vu.

Certains

Ce pronom n'a pas de singulier.

هذا الضمير ليس له مفرد.

Ex. Ces fleurs sont belles, mais **certaines** n'ont pas d'odeur.

Plusieurs

Ce pronom s'emploie pour les personnes et pour les choses. Il est toujours pluriel et invariable. Il a le genre du nom qu'il remplace.

Les pronoms [**plusieurs**] et [**quelques-uns**] sont synonymes.

هذا الضمير يستعمل مع الأشخاص والأشياء، ويكون دائمًا في الجمع ولا يتغير، ويأخذ نوع الاسم الذي يحل محله، مع العلم أن plusieurs et quelques-uns مترادفان.

Ex. Il y a beaucoup de professeurs à l'école, **plusieurs** sont paresseux.

Chacun

Chacun

Ce pronom n'a pas de pluriel.

هذا الضمير ليس له جمع.

Ex. **Chacun** a son goût.

Ex. **Chacun** travaille pour soi.

Ex. Ces montres coûtent une livre **chacune**.

Tout

Le singulier **tout** est neutre. Il s'emploie pour les choses.

Le pluriel **tous** et **toutes** s'emploie pour les personnes et pour les choses. Ce pronom n'a pas de féminin singulier.

tout يستعمل للأشياء وليس له مفرد مؤنث، بينما tous و toutes واستعمالها للأشخاص والأشياء.

Ex. Un homme ne peut pas **tout** savoir.

Ex. Levez-vous **tous**.

Ex. Il y a quatre fenêtres dans la classe; **toutes** sont fermées.

Le même

Le même, la même, les mêmes: نفس الشيء

Ex. Jean a acheté une nouvelle voiture, j'aimerais bien acheter **la même**.

Ex. Vos souliers sont beaux; je veux obtenir **les mêmes**.

****

Exercices sur les pronoms indéfinis

(1) Faites des phrases avec:

- personne   - on

- tous   - quelqu'un

- chacun   - le même

- aucune   - quelque chose

- rien   - plusieurs

- l'une ... l'autre   - certains

(2) Complétez les phrases suivantes avec (tous, tout, toutes):

1- J'ai acheté un pantalon et une chemise, j'ai …. payé avec ma carte de visa.

2- Si j'étais à ta place, je prendrais la veste la moins chère, ce sont …. les mêmes.

3- À la chine, …. a été recouvert par la neige.

4- Ne t'inquiète pas, …. va bien.

5- Les policiers arrêtent les voitures et les examinent ….

6- Autrefois, les maisons étaient en bois, mais maintenant …. sont en pierre.

(6) Les pronoms interrogatifs

ضمائر الاستفهام

Le pronom interrogatif serve à interroger.

يستعمل ضمير الاستفهام في السؤال عن شيء أو شخص.

Les pronoms interrogatifs sont:

Qui ؟؟ مَن

[**Qui ?**] S'emploie pour les personnes. Il peut être sujet, attribut, complément d'objet direct, complément d'objet indirect.

يستعمل الضمير qui مع الأشخاص، ويمكن أن يأتي فاعلًا، خبرًا، مفعولًا به مباشرًا أو مفعولًا بـه غيـر مباشر.

Ex. **Qui** explique la leçon ?

من يشرح الدرس؟

Ex. **Qui est-ce qui** explique la leçon ?

Interrogation directe	Interrogation indirecte
Qui est venu ? (*sujet*)	Dites-moi qui est venu.
Qui demandez-vous ? (*complément d'objet direct*)	Je voudrais savoir qui vous demandez.
A qui parlez-vous ? (*complément d'objet indirect*)	Je vous prie de me dire à qui vous parler.

Remarque:

1- On remplace souvent [**qui ?**] sujet, par [**qui est-ce qui ?**]

1- يستعمل **qui est-ce qui ?** بدلاً من **qui ?** للسؤال عن الفاعل.

Ex. <u>**Qui est-ce qui**</u> est venu ?

من الذي أتى؟

2- Dans la langue familier, on remplace quelquefois [**qui**], complément d'objet, par [**qui est-ce que ?**].

2- في اللغة العامية، يستعمل **qui est-ce que ?** بدلًا من **qui**.

Ex. <u>**Qui est-ce que**</u> vous demandez ?

ماذا تطلب؟

3- Pour les choses, on emploie [**qu'est-ce qui ?**] comme pronom interrogatif sujet.

3- مع الأشياء يستعمل ? qu'est-ce qui كضمير استفهام عن الفاعل.

Ex. <u>Qu'est-ce qui</u> est noir ?

ما الذي يكون أسود؟

<u>Que ? ماذا/ ما</u>

[**Que ?**] s'emploie pour les choses. Il est souvent complément d'objet direct.

يستعمل الضمير que مع الأشياء، ويكون غالبًا مفعولاً به مباشرًا.

Ex. <u>Que</u> voulez-vous ?

ماذا تريد؟

Remarque:

On remplace souvent [**que ?**] par [**qu'est-ce que ?**]

Ex. Qu'est-ce que vous voulez ? = Que voulez-vous ?

<u>Quoi ? ماذا</u>

Quoi ? s'emploie pour les choses. Il est presque toujours complément d'objet indirect.

Quoi تستعمل مع الأشياء، وتقريبًا تكون دائمًا مفعولاً به غير مباشر.

Ex. En <u>quoi</u> est la table ?

من أي مادة تكون الطاولة (الطربيزة) ؟

Ex. Sur **quoi** êtes-vous assis ? (*Interrogation directe*).

على أي شيء تجلس؟

Ex. Je voudrais savoir sur **quoi** vous êtes assis. (*Interrogation indirecte*).

Ex. À **quoi** est-ce que tu penses ?

فيما تفكر؟

أي؟ من هو؟ ؟ Lequel

Ce pronom a les formes suivantes:

Singulier		Pluriel	
Masculin	Féminin	Masculin	Féminin
Lequel ?	Laquelle ?	Lesquels ?	Lesquelles ?

Fait attention:

On ne dit pas	On dit
De lequel ?	Duquel ?
À lequel ?	Auquel ?
De lesquels ?	Desquels ?
De lesquelles ?	Desquelles ?
À lesquels ?	Auxquels ?
À les quelles ?	Auxquelles ?

****

Exercices sur les pronoms interrogatifs

(1) Trouvez les questions:

1- Nous nous levons à 6 h. du matin.

2- Abdallah et Yara vont au lycée en taxi.

3- Il va à l'école pour apprendre les sciences.

4- Moi, je m'appelle Mohamed.

5- Je vais au club avec mon ami Fouad.

6- Tu mets la veste noire.

7- Ça va bien, et toi ?

(2) Posez la question qui correspond à la réponse:

1- Ils rentrent à la maison vers minuit.

2- Je pèse 85 kilos.

3- Rami a pris des leçons des sciences à l'université.

4- Mon ami Pierre habite au Caire.

5- L'enfant pleure parce qu'il a perdu sa mère.

6- Cette jupe coûte 50 dollars.

7- C'est moi qui a ouvert la porte.

8- Hend a 12 ans.

(3) Voici les réponses, trouvez les questions:

1- Ce film commence à 9 heures du soir.

2- J'ai pris mes vacances pour deux semaines.

3- C'est un cadeau pour ma sœur.

4- Elle aime se promener avec son amie.

5- Au petit déjeuner, je prends le fromage, le pain, foule et taamïa.

6- Ali est absent à cause de sa maladie.

7- Sophie a réussi grâce à l'aide de son père.

8- Il préfère la couleur bleue.

Le Verbe

الفعـــــل

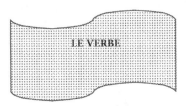

الفعل في اللغة هو أحد الأجزاء الأساسية التي تتكون منها الجملة، فالجملة تتكون من فاعل وفعل ومفعول.

Sujet	Verbe	Complément

والفعــل في اللغـة الفرنـسية يتكـون مـن شـقين أساسـيين هــما الجـذر (le radical) والنهايـة (la terminaison). والشق الأول -بصفة عامة- لا يتغير، أما النهاية فتتغير وفق الضمير والزمن المُصرف فيـه. يحمل الشق الأول بين طياته الفكرة الأساسية لمعنى الفعل.

Transport	er
Fin	ir

** Le radical renferme l'idée principale: l'idée de transport dans transporter, l'idée de fin dans finir.

** La terminaison varie pour indiquer **le mode, le temps, la personne, le nombre.**

والمصدر في اللغة الفرنسية هو الشكل الخام للفعل غير المصرف.

L'infinitif, c'est la forme "brute" du verbe, quand il n'est pas conjugué.

Ex. : *marcher, participer, parler, courir, prendre, mettre ...*

** Espèces de verbes **

Le verbe est *transitif* ou *intransitif*.

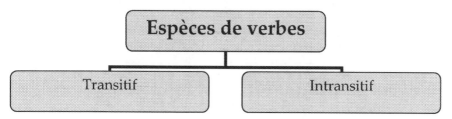

يكون الفعل إما متعديًّا (transitif) وإما لازمًا (intransitif).

(1) Le verbe est *transitif* quand il a un complément d'objet (direct ou indirect).

والفعل المتعدي هو ما يكون مقترنًا بمفعول به مباشر أو مفعول به غير مباشر.

Ex. L'élève écrit son devoir.

Ex. Le professeur parle aux élèves.

ويعتبر المفعول به مباشرًا إذا جاء مباشرة بعد الفعل لا يفصله عن الفعل حرف جر. ففي الجملة الأولى جاءت (son devoir) مفعولًا به مباشرًا، وفي الجملة الثانية جاءت (élèves) مفعولًا به غير مباشر حيث فصلها عن الفعل حرف الجر (à).

(2) Le verbe est *intransitif* quand il n'a pas de complément d'objet.

Ex. Cet élève dort sur la table.

Ex. Ce cheval court vite.

والفعل اللازم هو الذي لا يأتي معه مفعول به مباشر ولا مفعول به غير مباشر إلا أنه يأتي معه مفعول

ظرفي (complément circonstanciel) والمفعول الظرفي يعبر عن:

1	**Le lieu** (المكان)	Je joue dans la cour.
2	**La manière** (الطريقة)	Elle travaille avec ardeur.
3	**Le but** (الغاية)	Ils luttent pour leur indépendance.
4	**Le temps** (الزمان)	Il travaille toute la journée.
5	**La cause** (السبب)	Elle tombe de fatigue.
6	**Le moyen** (الوسيلة)	Il travaille avec le marteau.

Le verbe *impersonnel* est un verbe *intransitif*. On le nomme impersonnel parce qu'on ne peut indiquer la personne, l'animal ou la chose qui fait l'action. On le conjugue seulement à la 3ème personne du singulier.

Ex. Il pleut – Il neige – Il faut – Il y a

الفعل غير الشخصي يعد بمثابة فعل لازم، ويُسمى كذلك لأننا لا يمكننا تحديد الشخص أو الحيوان

أو الشيء الذي يقوم بالحدث، ويُصرف فقط مع الضمير الثالث للمفرد أي مع الضمير (il).

** La Conjugaison – Les Modes – Les Temps **

Conjuguer un verbe, c'est le dire à toutes ses formes.

La conjugaison d'un verbe comprend six modes:

تصريف الفعل يشمل ست صيغ منها أربع صيغ شخصية واثنان غير شخصية:

1. Quatre modes personnels	

Le mode indicatif	الصيغة الإخبارية
Le mode subjonctif	صيغة الشك
Le mode conditionnel	صيغة الشرط
Le mode impératif	صيغة الأمر

2. Deux modes impersonnels	

Le mode infinitif	صيغة المصدر
Le mode participe	صيغة اسم الفاعل واسم المفعول

Chaque mode comprend un ou plusieurs temps. Le temps est **simple** (*sans auxiliaire*) ou **composé** (*avec l'un des auxiliaires: avoir ou être*).

وتحتوي كل صيغة زمنًا أو مجموعة أزمنة. وتنقسم الأزمنة إلى أزمنة بسيطة وأزمنة مركبة. والأزمنة البسيطة هي تلك الأزمنة التي تأتي بدون فعل مساعد، أما الأزمنة المركبة هي التي تقترن بفعل مساعد.

Ex. Je regarde – Tu participeras – Qu'il vienne (*Temps simples*).

Tu as fini – Il était venu (Temps composés)

**** Les formes de la Conjugaison ****

Il y a quatre formes de la conjugaison;

(1) **Affirmative :** *Je suis en classe.*

(2) **Négative :** *Je ne suis pas en classe.*

(3) **Interrogative :** *Suis-je en classe?*

(4) **Négative-interrogative :** *Ne suis-je pas en classe?*

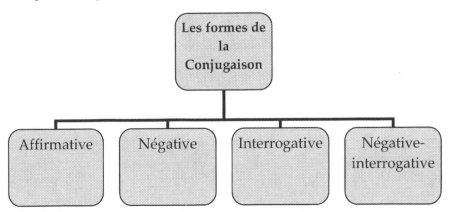

LES QUATRE MODES PERSONNELS

[I] LE MODE INDICATIF

[الصيغة الإخبارية]

وتشمل الصيغة الإخبارية ثمانية أزمنة منها أربعة أزمنة بسيطة وأربعة أزمنة مركبة.

4 Temps Simples	4 Temps Composés
Présent de l'indicatif	Passé composé de l'indicatif
Imparfait de l'indicatif	Plus-que-parfait de l'indicatif
Passé simple de l'indicatif	Passé antérieur de l'indicatif
Futur simple de l'indicatif	Futur antérieur de l'indicatif

[1] Le Présent Indicatif

المضارع الإخباري

[I] Définition

Il exprime une action qui s'accomplit au moment où l'on parle. La fonction primaire du présent est d'indiquer que les évènements portent la date du moment où l'on parle. C'est le temps que l'on emploie dans le reportage «en direct» à la radio, où le discours est description d'un évènement que l'on vit ou que l'on voit en même temps que le narrateur.

يُعَبِّر عَنْ حَدَث يَتِم فِي نَفْس الوَقْت الَّذِي نَتَحَدَّث فِيهِ. الوظيفة الأساسية للمضارع تشير إلى أن الأحداث تحمل تاريخ اللحظة التي نتحدث فيها.

Ex. Mon frère est dans sa chambre, il regarde la télé.

مِثَال: أَخِي فِي غُرْفَتِه، إِنَّهُ يُشَاهِد التِّلْفَاز.

[II] Les Trois Groupes de Verbe

هناك ثلاث مجموعات أساسية للفعل في اللغة الفرنسية:

* 1ᵉʳ Groupe:

Les verbes du premier groupe se terminent par (**er**).

> **Ex.** : *Regarder, Aimer, Jouer, Parler, Daigner, Travailler, Refuser, Goûter, Imprimer, Inciter, Insister, Justifier, Laisser, Marcher, Chanter, Participer, Mépriser, Nécessiter, Négliger, Nettoyer Nommer, Occuper, Planifier, Qualifier, Ronger, Stopper, Structurer, Suborner, Succomber, Tourmenter, Tourner... etc.*

* 2ème Groupe:

Les verbes du deuxième groupe se terminent par (*ir*).

> ***Ex.*** : *finir, remplir, obéir, réussir, adoucir, affaiblir, affermir, affranchir, amoindrir, applaudir, approfondir, arrondir, attendrir, choisir, élargir, emplir, enrichir, envahir, établir, fournir, munir, punir, saisir, salir, trahir, unir... etc.*

* 3ème Groupe:

Les verbes du troisième groupe peuvent se terminer pas (*oir*) (*rir*) (*re*) (*dre*) ?

> ***Ex.*** : *prendre, écrire, partir, vouloir, venir, connaître, faire, obtenir, dormir, devenir, fuir, découvrir, mourir, cueillir, sentir, sortir, servir, secourir, devoir, savoir, valoir... etc.*

** **Le verbe au présent peut indiquer:**

يشير الفعل المضارع في الصيغة الإخبارية إلى:

(A) Une action qui se fait maintenant.

Ex. Elle fait le devoir. Il mange une pomme.

(B) Une vérité générale. Il exprime des vérités générales connues de tout le monde.

Ex. La terre tourne autour du soleil.

(C) Une action qui se fait régulièrement.

Ex. Je me lève tous les matins à 6 heures.

(D) Un fait habituel.

Ex. Mon frère lit pour 2 heures avant dormir.

Remarque: Le présent peut avoir la valeur de passé ou de futur, lorsque l'action est proche ou liée au moment présent.

Ex.1: J'arrive à l'aéroport et la nostalgie commence. (Passé)

Ex.2: J'arrive dans deux minutes. (Futur)

وتُصرف أفعال المجموعة الأولى في المضارع بحذف النهاية (er) وإضافة النهايـات الآتيـه عـلى جـذر الفعل:

1ère personne du singulier	Je	- e
2ème personne du singulier	Tu	- es
3ème personne du singulier	Il/Elle	- e
1ère personne du pluriel	Nous	- ons
2ème personne du pluriel	Vous	- ez
3ème personne du pluriel	Ils/Elles	- ent

Ex. Verbe (Regarder)

V. Regarder au présent de l'indicatif		
Singulier	1ère pers.	Je regarde
	2ème pers.	Tu regardes
	3ème pers.	Il/Elle regarde
Pluriel	1ère pers.	Nous regardons
	2ème pers.	Vous regardez
	3ème pers.	Ils/Elles regardent

** وهناك أفعال تقترن بـ (se) وهو ضمير يعـود عـلى الفاعـل، وتـسمى أفعـال ذات ضـميرين، ويُـصرف
كالآتي:

Je	me
Tu	te
Il/Elle	se
Nous	nous
Vous	vous
Ils/Elles	se

Exemple: Se lever

V. **Se lever** au présent de l'indicatif		
Singulier	1ère pers.	Je **me** lève
	2ème pers.	Tu **te** lèves
	3ème pers.	Il/Elle **se** lève
Pluriel	1ère pers.	Nous **nous** levons
	2ème pers.	Vous **vous** levez
	3ème pers.	Ils/Elles **se** lèvent

[III] Remarques

[ملاحظات]

(1) Les terminaisons des trois personnes du singulier et de la troisième du pluriel se prononcent de la même façon. On prononce donc seulement le radical (*parl*).

نهايات الضمائر الثلاثة المفردة والضمير الثالث الجمع لها نفس النطق.

Ex. Je parle – Tu parles – Il parle – Ils parlent

(2) "Je" s'apostrophe devant un verbe qui commence par une voyelle ou un **h** muet.

Ex. J'arrive – J'habite à Paris.

(3) Dans la prononciation, la liaison est obligatoire entre les pronoms personnels sujet (nous, vous, ils, elles) et le verbe qui commence par une voyelle ou un h muet.

Ex. : Nous étudions – Nous avons – Ils ont

(4) Le verbe (aller) est le seul verbe irrégulier en "**-er**".

V. **Aller** au présent de l'indicatif		
Singulier	1ère pers.	Je vais
	2ème pers.	Tu vas
	3ème pers.	Il/Elle va
Pluriel	1ère pers.	Nous allons
	2ème pers.	Vous allez
	3ème pers.	Ils vont

(5) Parmi les **mots clés** concernant le présent, citons:

من بين الكلمات الدالة على زمن المضارع نذكر:

Quelquefois	أحيانًا
Chaque	كل
Chaque matin	كل صباح
Chaque jour	كل يوم
Chaque semaine	كل أسبوع
Maintenant	الآن
Aujourd'hui	اليوم
Toujours	دائمًا
Tous les matins	في كل مساء
Tous les jours	في كل يوم

[III] Particularités de la conjugaison de certains

verbes de premier groupe

(1) Verbes en [GER]

Abréger, Abroger, Affliger, Agréger, Allonger, Aménager, Arranger, Avantager, Changer, Corriger, Décharger, Décourager, Dédommager, Dégager, Déranger, Diriger, Échanger, Exiger, Interroger, Manger, Nager, Négliger, Obliger, Partager, Protéger, Venger, Voyager

Ils prennent (e) après le (g) devant (o) ou (a).

تأخذ هذه الأفعال حرف (e) بعد (g) قبل (o) أو (a).

Ex. Nous mangeons – Je mangeais - Qu'il mangeât – Mangeant

(2) Verbes en [CER]

Agacer, Amorcer, Annoncer, Avancer, Balancer, Bercer, Commencer, Concurrencer, Contrebalancer, Dénoncer, Déplacer, Devancer, Divorcer, Effacer, Énoncer, Exercer, Financer, Influencer, Menacer, Ordonnancer, Percer, Placer, Prononcer, Remplacer, Renforcer, Renoncer

Ils prennent une cédille sous le (c) devant (o) ou (a).

Ex. Nous annonçons – J'annonçais – Annonçant

(3) Verbes en [YER]

Aboyer, Apitoyer, Appuyer, Balayer, Convoyer, Déblayer, Débrayer, Défrayer, Déployer, Dévoyer, Effrayer, Égayer, Employer, Ennuyer, Envoyer, Essayer, Essuyer, Étayer, Monnayer, Nettoyer, Noyer, Pagayer, Payer, Renvoyer, Tutoyer

Ils changent (y) en (i) devant (e) muet.

Ex. J'emploie, tu emploies, il emploie, ils emploient

وتُصرف أفعال المجموعة الثانيـة في المـضارع بحـذف النهايـة (ir) وإضافة النهايـات الآتيـه علـى جـذر الفعل:

Singulier	1ère pers.	Je	- is
	2ème pers.	Tu	- is
	3ème pers.	Il/Elle	- it
Pluriel	1ère pers.	Nous	- issons
	2ème pers.	Vous	- issez
	3ème pers.	Ils/Elles	- issent

Ex. : Choisir

V. **Choisir** au présent de l'indicatif		
Singulier	1ère pers.	Je choisis
	2ème pers.	Tu choisis
	3ème pers.	Il choisit
Pluriel	1ère pers.	Nous choisissons
	2ème pers.	Vous choisissez
	3ème pers.	Ils choisissent

** Les verbes du 3ème groupe (أفعال المجموعة الثالثة)

Chaque verbe dans le 3ème groupe peut avoir une forme différente.

(1) فعل (mettre) يكون التصريف بوضع أصل الفعل (met) وإضافة النهايات في المفرد (--, s-, s-) ووضع الجذر (mett) وإضافة النهايات في الجمع (ent-, ez-, ons-)

V. **Mettre** au présent de l'indicatif		
Singulier	1ère pers.	Je mets
	2ème pers.	Tu mets
	3ème pers.	Il/Elle met
Pluriel	1ère pers.	Nous mettons
	2ème pers.	Vous mettez
	3ème pers.	Ils mettent

ويصرف مثله:

(1) Admettre, Commettre, Compromettre, Décommettre, Démettre, Émettre, Entremettre (s'), Omettre, Permettre, Promettre, Remettre, Retransmettre, Soumettre, Transmettre

(2) Abattre, Battre, Combattre, Contrebattre, Débattre, Embattre, Rabattre, Rebattre

(2) فعل (connaître) يكون التصريف بحذف (tre) وإضافة النهايات:

(-s, -s, -t, ssons, ssez, ssent)

V. Connaître au présent de l'indicatif		
Singulier	1ère pers.	Je connais
	2ème pers.	Tu connais
	3ème pers.	Il/Elle connaît
Pluriel	1ère pers.	Nous connaissons
	2ème pers.	Vous connaissez
	3ème pers.	Ils connaissent

ويصرف مثله:

(1) Apparaître, Comparaître, Disparaître, Méconnaître, Naître, Paître, Paraître, Réapparaître, Recomparaître, Reconnaître, Renaître, Repaître, Reparaître, Transparaître

(2) Accroître, Croître, Décroître

(3) فعل (attendre) يكون التصريف بحذف (re) وإضافة النهايات :

(-s, -s, ---, ons, ez, ent)

V. **Attendre** au présent de l'indicatif		
Singulier	1ère pers.	J'attends
	2ème pers.	Tu attends
	3ème pers.	Il/Elle attend
Pluriel	1ère pers.	Nous attendons
	2ème pers.	Vous attendez
	3ème pers.	Ils attendent

ويصرف مثله:

(1) *Défendre, Descendre, Détendre, Distendre, Entendre, Étendre, Fendre, Pendre, Pourfendre, Prétendre, Rendre, Sous-entendre, Tendre, Vendre*

(2) *Confondre, Correspondre, Fondre, Parfondre, Pondre, Refondre, Répondre, Retondre, Surtondre, Tondre,*

(3) *Épandre, Répandre*

(4) أما فعل (prendre) ومشتقاته:

Apprendre, Comprendre, Désapprendre, Entreprendre, Réapprendre, Reprendre, Surprendre

يُصرف كالآتي:

V. **Prendre** au présent de l'indicatif		
Singulier	1ère pers.	Je prends
	2ème pers.	Tu prends

	3ᵉᵐᵉ pers.	Il/Elle prend
Pluriel	1ᵉʳᵉ pers.	Nous prenons
	2ᵉᵐᵉ pers.	Vous prenez
	3ᵉᵐᵉ pers.	Ils prennent

(5) الفعل المنتهي بـ (indre) كـ (craindre) يكون التصريف بالجذر (crain) مع المفرد ثم النهايات والجذر (craign) مع الجمع ثم النهايات.

(-s, -s, -t, -ons, -ez, -ent)

V. **Craindre** au présent de l'indicatif		
Singulier	1ᵉʳᵉ pers.	Je crains
	2ᵉᵐᵉ pers.	Tu crains
	3ᵉᵐᵉ pers.	Il/Elle craint
Pluriel	1ᵉʳᵉ pers.	Nous craignons
	2ᵉᵐᵉ pers.	Vous craignez
	3ᵉᵐᵉ pers.	Ils craignent

ويُصرف مثله:

(1) *Contraindre, Plaindre*

(2) *Adjoindre, Disjoindre, Enjoindre, Joindre, Oindre, Poindre, Rejoindre*

(3) Astreindre, Atteindre, Ceindre, Dépeindre, Déteindre, Empreindre, Enceindre, Enfreindre, Épreindre, Éteindre, Étreindre, Feindre, Geindre, Peindre, Repeindre, Restreindre, Teindre

(6) الفعل المنتهي بـ (uire) كـ (conduire) يكون التصريف بالجـذر (condui) مـع المفـرد ثم النهايـات والجذر (conduis) مع الجمع ثم النهايات.

(-s, -s, -t, -ons, -ez, -ent)

V. Conduire au présent de l'indicatif		
Singulier	1ère pers.	Je conduis
	2ème pers.	Tu conduis
	3ème pers.	Il/Elle conduit
Pluriel	1ère pers.	Nous conduisons
	2ème pers.	Vous conduisez
	3ème pers.	Ils conduisent

ويُصرف مثله:

Autodétruire (s'), Bruire, Conduire, Construire, Coproduire, Cuire, Décuire, Déduire, Détruire, Éconduire, Enduire, Entredétruire (s'), Induire, Instruire, Introduire, Luire, Méconduire (se), Nuire (à), Produire, Reconduire, Réduire, Séduire, Surproduire, Traduire

(7) الفعل المنتهي بـ (ure) يكون التصريف بحذف (re) وإضافة النهايات:

(-s, -s, -t, -ons, -ez, -ent)

V. **Conclure** au présent de l'indicatif		
Singulier	1ère pers.	Je conclus
	2ème pers.	Tu conclus
	3ème pers.	Il/Elle conclut
Pluriel	1ère pers.	Nous concluons
	2ème pers.	Vous concluez
	3ème pers.	Ils concluent

ويُصرف مثله:

Exclure, Inclure, Occlure

(8) الفعل المنتهي بـ (vre) كـ (suivre) يكون التصريف بالجذر (sui) مع المفرد ثم النهايات والجذر (suiv) مع الجمع ثم النهايات.

(-s, -s, -t, -ons, -ez, -ent)

V. **Suivre** au présent de l'indicatif		
Singulier	1ère pers.	Je suis
	2ème pers.	Tu suis
	3ème pers.	Il/Elle suit
Pluriel	1ère pers.	Nous suivons
	2ème pers.	Vous suivez
	3ème pers.	Ils suivent

Poursuivre, Revivre, Survivre, **Vivre**

(9) الفعل المنتهي بـ (oir) كـ (recevoir) يكون التصريف بالجذر (reçoi) مع الضمائر الثلاثة المفردة والجذر (recev) مع الضمير الأول والثاني للجمع والجذر (reçoiv) للضمير الثالث للجمع ثم النهايات:

(-s, -s, -t, -ons, -ez, -ent)

V. **Recevoir** au présent de l'indicatif		
Singulier	1ère pers.	Je reçois
	2ème pers.	Tu reçois
	3ème pers.	Il/Elle reçoit
Pluriel	1ère pers.	Nous recevons
	2ème pers.	Vous recevez
	3ème pers.	Ils reçoivent

ويُصرف مثله:

Apercevoir, Concevoir, Décevoir, Entrapercevoir, Percevoir, Recevoir, devoir

(10) أما الأفعال (pouvoir) (vouloir) (valoir) فإن نهايات الضمير الأول والثاني في المفرد تأخذ (x-)

		Pouvoir	Vouloir	Valoir
Singulier	1ère pers.	Je peux	Je veux	Je vaux
	2ème pers.	Tu peux	Tu veux	Tu vaux
	3ème pers.	Il peut	Il veut	Il vaut
Pluriel	1ère pers.	Nous pouvons	Nous voulons	Nous valons
	2ème pers.	Vous pouvez	Vous voulez	Vous valez
	3ème pers.	Ils peuvent	Ils veulent	Ils valent

ويُصرف فعل (prévaloir) مثل تصريف فعل (valoir).

(11) أما فعلا (voir) و (savoir) فيصرفان كالآتي:

		Voir	Savoir
Singulier	1ère pers.	Je vois	Je sais
	2ème pers.	Tu vois	Tu sais
	3ème pers.	Il voit	Il sait
Pluriel	1ère pers.	Nous voyons	Nous savons
	2ème pers.	Vous voyez	Vous savez
	3ème pers.	Ils voient	Ils savent

ويصرف مثل فعل (voir) الأفعال الآتيه:

Entrevoir, Prévoir, Revoir

(12) الأفعال التي تنتهي (ire-) ومنها المنتهي بـ (oire) و (aire) لها تصريف خاص.

		Dire	Écrire	Lire	Rire
Singulier	1ère pers.	Je dis	J'écris	Je lis	Je ris
	2ème pers.	Tu dis	Tu écris	Tu lis	Tu ris
	3ème pers.	Il dit	Il écrit	Il lit	Il rit
Pluriel	1ère pers.	Nous disons	Nous écrivons	Nous lisons	Nous rions
	2ème pers.	Vous dites	Vous écrivez	Vous lisez	Vous riez
	3ème pers.	Ils disent	Ils écrivent	Ils lisent	Ils rient
		Boire	**Croire**	**Faire**	**Plaire**
Singulier	1ère pers.	Je bois	Je crois	Je fais	Je plais
	2ème pers.	Tu bois	Tu crois	Tu fais	Tu plais
	3ème pers.	Il boit	Il croit	Il fait	Il plaît
Pluriel	1ère pers.	Nous buvons	Nous croyons	Nous faisons	Nous plaisons
	2ème pers.	Vous buvez	Vous croyez	Vous faites	Vous plaisez
	3ème pers.	Ils boivent	Ils croient	Ils font	Ils plaisent

* Remarquez l'irrégularité des verbes:

Dire: vous dit **es**

Faire: Vous fait **es** – Ils f **ont**

Plaire: Il pla **î** t

		Être	Avoir
Singulier	1ère pers.	Je suis	J'ai
	2ème pers.	Tu es	Tu as
	3ème pers.	Il est	Il a
Pluriel	1ère pers.	Nous sommes	Nous avons
	2ème pers.	Vous êtes	Vous avez
	3ème pers.	Ils sont	Ils ont

[IV] Utilisation

[الاستعمال]

(1) التعبير عن حدث (une action) يتم في الوقت الذي نتحدث فيه.

Ex. Maintenant, j'explique la leçon.

أشرح الدرس الآن.

(2) للتعبير عن حدث (une action) متكرر الحدوث أو عادة في الحاضر.

Ex. Chaque jeudi, je vais au jardin.

أذهب إلى الحديقة كل يوم خميس.

(3) للتعبير عن حقيقة دائمة.

Ex. La terre tourne sur elle-même.

تدور الأرض حول نفسها.

(4) مع (si) الشرطية.

Ex. Si tu travailles bien, tu réussiras.

إذا اشتغلت جيدًا ستنجح.

(5) في حالة وصف شيء في الماضي لم يزل قائمًا.

Ex. Hier, j'ai rendu visite à mon voisin, son appartement est bien meublé.

بالأمس قمت بزيارة جاري حيث إن شقته مجهزة جيدًا.

[V] Exercices sur le présent

Parmi ces choix, choisissez la réponse correcte.

(1) Je ... un exercice de grammaire en ce moment.

A	B	C	D
fais	ferai	ai fait	faisais

(2) Qu'est-ce qu'ils font?

A	B	C	D
Ils ont écouté de la musique.	Ils écouteront de la musique.	Ils écoutaient de la musique.	Ils écoutent de la musique.

(3) Nous ... au Caire chaque été.

A	B	C	D
irons	allons	sommes allés	irions

(4) Qu'est-ce qu'il boit avec son petit-déjeuner?

A	B	C	D
Il boit du café avec son petit-déjeuner.	Il buvait du café avec son petit-déjeuner.	Il a bu du café avec son petit-déjeuner.	Il avait bu du café avec son petit-déjeuner.

(5) Tout ce qui ... n'est pas or.

A	B	C	D
brillait	a brillé	brille	brillera

(6) Les eaux ... les trois quarts de la terre.

A	B	C	D
ont occupé	occuperont	occupaient	occupent

(7) Le film ... dans dix minutes.

A	B	C	D
aurait commencé	commence	commençait	a commencé

(8) Chaque jour, je ... du collège à deux heures.

A	B	C	D
sors	suis sorti	sortirai	sortais

[2] Le Passé Composé de l'Indicatif

[الماضي المركب]

[I] Définition

[التعريف]

C'est la forme verbale que le parleur emploie pour exprimer un évènement passé ou achevé au moment où l'on parle. Le passé composé marque l'aspect de l'accompli, l'événement qu'il traduit est entièrement achevé.

[II] Formation

التكوين

Il est formé de l'auxiliaire *être* ou *avoir* [au présent de l'indicatif] plus le participe passé du verbe principal.

يتكون من تصريف المساعد (avoir) أو (être) في المضارع مضافًا إليه اسم المفعول من الفعل المراد تصريفه.

[Être ou Avoir] au présent de l'indicatif + Participe Passé

J'ai Tu as Il a Nous avons Vous avez Ils ont	أو	Je suis Tu es Il est Nous sommes Vous êtes Ils sont	+	Le participe passé p.p.

V. Manger au passé composé de l'indicatif		
Singulier	1ère pers.	J'ai mangé
	2ème pers.	Tu as mangé
	3ème pers.	Il/Elle a mangé
Pluriel	1ère pers.	Nous avons mangé
	2ème pers.	Vous avez mangé
	3ème pers.	Ils/Elles ont mangé

Ex. : Elle *a mangé* une pomme verte.

La pomme qu'elle *a mangée* est verte.

Cette pomme, elle l'*a mangée*.

Il **a dit** la vérité.

Elle **est allée** au cinéma.

جميع أفعال اللغة الفرنسية تأخذ المساعد (Avoir) عدا أربعة عشر فعلا تأخذ المساعد (Être) وهي:

Aller	Retourner	Entrer	Sortir	Tomber
Naître	Mourir	Partir	Venir	Arriver
Monter	Descendre	Passer	Rester	

Ex.

Singulier	1ère pers.	Je suis allé(e)
	2ème pers.	Tu es venu(e)
	3ème pers.	Il/Elle est entré(e)
Pluriel	1ère pers.	Nous sommes sortis (es)
	2ème pers.	Vous êtes arrivés (es)
	3ème pers.	Ils/Elles sont descendus (es)

ملحوظة: كافة الأفعال ذات الضميرين التي تقترن بـ (se) تأخذ المساعد (Être).

Ex.

V. **Se promener** au passé composé de l'indicatif		
Singulier	1ère pers.	Je me suis promené(e)
	2ème pers.	Tu t'es promené(e)
	3ème pers.	Il/Elle s'est promené(e)
Pluriel	1ère pers.	Nous nous sommes promenés(es)
	2ème pers.	Vous vous êtes promenés(es)
	3ème pers.	Ils/Elles se sont promené(es)

Le Participe Passé

** كيفية الحصول على اسم المفعول من الفعل المراد تصريفه.

(1) كافة الأفعال التي تنتهي بـ (er) يأتي منها اسم المفعول بحذف الـ (r) ووضع accent aigu على الـ (e).

Manger	Mangé
Aller	Allé

Ex.

Aller : Je suis allé à Nice.

Passer : Je suis passé par Paris.

Travailler : J'ai travaillé en Égypte.

(2) كافة الأفعال التي تنتهي بـ (ir) يأتي منها اسم المفعول بحذف الـ (r).

Choisir	Choisi
Finir	Fini

Ex.

Finir : Ils ont fini leur travail.

Sortir : Tu es sorti sous la pluie et tu es tout mouillé.

Partir : Il est parti à Paris pour finir ses études.

(3) اسم المفعول من الأفعال الشاذة الأكثر استخدامًا:

Verbe à l'infinitif	Participe Passé	Verbe à l'infinitif	Participe Passé
Courir	Couru	Mourir	Mort
Offrir	Offert	Ouvrir	Ouvert
Tenir	Tenu	Venir	Venu

(4) يمكن أن نصيغ اسم المفعول من بعض الأفعال التي تنتهي بـ (re) بحذف الـ (re) واستبدالها بـ (u).

Verbe à l'infinitif	Participe Passé	Verbe à l'infinitif	Participe Passé
Descendre	Descendu	Perdre	Perdu
Rendre	Rendu	Vaincre	Vaincu
Abattre	Abattu	Attendre	Attendu

هناك أفعال تنتهي بـ (re) وتسير على نفس منوال القاعدة السابقة، ولكن بتغيير جذر الفعل:

Verbe à l'infinitif	Participe Passé	Verbe à l'infinitif	Participe Passé
Paraître	*paru*	Plaire	*plu*
Taire	*tu*	Vivre	*vécu*
Boire	*bu*	Connaître	*connu*
Croire	*cru*	Lire	*lu*
Accroître	*accru*	Apparaître	*apparu*
Revivre	*revécu*	Survivre	*survécu*

وهناك أفعال تنتهي بـ (re) ولا تسير على نهج القاعدة السابقة:

Verbe à l'infinitif	Participe Passé	Verbe à l'infinitif	Participe Passé
Conduire	*conduit*	Dire	*dit*
Écrire	*écrit*	Craindre	*craint*
Éteindre	*éteint*	Rejoindre	*rejoint*
Mettre	*mis*	Prendre	*pris*
Rire	*ri*	Suivre	*suivi*
Être	*été*	Naître	*nu*
Absoudre	*absous*	Admettre	*admis*
Apprendre	*appris*	Atteindre	*atteint*
Commettre	*commis*	Comprendre	*compris*

(5) بعض الأفعال التي تنتهي بـ (oir) يكون اسم المفعول باستبدال المقطع (oir) بـ (u).

Verbe à l'infinitif	Participe Passé	Verbe à l'infinitif	Participe Passé
Falloir	Fallu	Voir	Vu
Vouloir	Voulu		

هناك أفعال تنتهي بـ (oir) وتسير على نفس منوال القاعدة السابقة ولكن بتغيير جذر الفعل:

Verbe à l'infinitif	Participe Passé	Verbe à l'infinitif	Participe Passé
Apercevoir	*aperçu*	Devoir	*dû*
Avoir	*eu*	Pleuvoir	*plu*
Pouvoir	*pu*	Recevoir	*reçu*
Savoir	*su*	Concevoir	*conçu*
Décevoir	*déçu*	Émouvoir	*ému*

وهناك أفعال تنتهي بـ (oir) ولا تسير على نهج القاعدة السابقة:

Asseoir	Assis

** **Remarque**

Quelques verbes se conjuguent avec (avoir) ou (être) selon qu'ils ont un objet direct ou qu'ils n'en ont pas.

بعض الأفعال التي تأخذ المساعد (être) يمكن أن تأخذ المساعد (avoir)، وهذا يتوقف على المفعول به المباشر التي يأتي بعدها.

Être (C.D.I.)	Avoir (C.O.D.)
Je suis descendu au sous-sol.	J'ai descendu l'escalier.
Elle est montée à l'échelle.	Elle a monté les marches.
Vous êtes passés pas Rouen.	Vous avez passé un jour à Rouen.
Tu es rentré tard.	Tu as rentré la voiture.
Nous sommes retournés à Paris.	Nous avons retourné le matelas.
Ils sont sortis de l'hôtel.	Ils ont sortis leur argent.

Accord du participe passé

[تبعية اسم المفعول]

(1) Le participe passé s'accorde toujours avec le sujet lorsqu'on utilise l'auxiliaire être. Avec l'auxiliaire avoir, il n'y a pas d'accord avec le sujet.

يتطابق اسم المفعول دائمًا مع الفاعل في حالة اقتران الفعل بالمساعد (être) أما في حالة اقتران الفعل بالمساعد (avoir) فلا يتطابق اسم المفعول مع الفاعل.

Être (C.D.I.)	Avoir (C.O.D.)
Nous sommes **sortis** de la maison.	Nous avons sorti la voiture.

Le participe passé s'accorde toujours avec le sujet en genre (masculin & féminin) et en nombre (singulier & pluriel).

تكون التبعية مع اسم المفعول في الجنس (المذكر والمؤنث) والعدد (المفرد والجمع).

Ex.: Elle est sortie.

Ex.: Elle est allée au marché.

[III] Utilisation

[الاستخدام]

(1) Il exprime une action terminée. Un événement ponctuel accompli.

Ex. : Le président Al-sadat est mort. Il a lu la lettre.

(2) Il sert à raconter des événements passés. Une succession d'actions.

Ex. : Elle s'est réveillée puis s'est levée et s'est habillée.

Ex. : Le voleur a cassé la fenêtre, il est entré dans la maison.

(3) Une répétition

Ex. : Elle est allée 5 fois au cinéma.

(4) Une action qui a duré, mais qui est terminée.

Ex. Il a travaillé cinq ans à Paris.

(5) Il exprime l'antériorité par rapport à un autre verbe au présent.

Ex. Il lit le livre que j'ai choisi.

[IV] Exercices sur Le passé composé

<u>Parmi ces choix, choisissez la réponse correcte.</u>

(1) Ce poète … le siècle dernier.

A	B	C	D
mort	mourra	est mort	mourait

(2) Ma grand-mère … à Tripoli où elle … son enfance.

A	B	C	D
naitra/passera	naissait/passait	naît/passe	est née/a passé

(3) Hier matin, j' … ma voiture, puis j' … les fleurs du jardin.

A	B	C	D
lave/arrose	ai lavé/ai arrosé	avais lavé/avais arrosé	aurais lavé/aurais arrosé

(4) Mes frères mettent les chandails que je leur … .

A	B	C	D
ai achetés	achète	achetait	achèterai

(5) Elle met les boucles d'oreilles que tu lui …

A	B	C	D
donneras	donnes	as données	donnais

La négation

[النفي]

La négation par:

pas
personne
rien
jamais
pas encore
plus
aucun (e)
ni …. ni ….
que
guère
point

ne ….

Ne …… pas

لا

Pour mettre la phrase à la forme négative, on met le verbe conjugué entre **ne** et **pas.**

تنفي الجملة عامة بوضع الفعل المصرف بين Ne و pas

Ex. Ali regarde la télé.

علي يشاهد التليفزيون.

- Ali **ne** regarde **pas** la télé.

On remplace **ne** par [**n'**] devant une voyelle ou une **h** muette.

تستعمل 'n بدلًا من ne أمام حرف متحرك أو h صامتة.

Ex. Elle a visité le musée.

لقد زارت المتحف.

- Elle **n'a pas** visité le musée.

Au passé composé, on met le verbe auxiliaire entre **ne .... pas**.

في زمن الماضي المركب نضع الفعل المساعد بين ne ... pas.

Ex. Je suis allé au club.   لقد ذهبتُ إلى النادي.

- Je **ne** suis **pas** allé au club.

لا تنسَ: أن أدوات النكرة وأدوات التجزئة تتحول عند النفي إلى 'de/d ما عدا إذا كان فعل الجملة الأساسي هو v. être

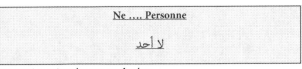

Ne .... Personne
لا أحد

Pour nier une phrase qui contient le mot **quelqu'un**.

لنفي جملة تحتوي على كلمة quelqu'un.

Ex. Tu invites quelqu'un à ta fête ?

هل دعوت أحدًا إلى حفلتك؟

- Non, je **n'**invite **personne** à ma fête.

Ex. Qui a fait le devoir ?   من أدى الواجب؟

- **Personne n'**a fait le devoir.

Ex. Quelqu'un t'a invité ce matin ?   هل دعاك أحد هذا الصباح؟

- **Personne ne** m'a invité ce matin.

لاحظ أن (personne) تحل محل (qui/ quelqu'un) كفاعل أو كمفعول.

Ne .....rien
لا شيء

Pour nier une phrase qui contient quelque chose.

لنفي جملة تحتوي على quelque chose نستخدم ne … rien.

Ex. Tu as dit quelque chose ?   هل قلت شيئًا؟

- Non, je **n'**ai **rien** dit.

Ex. Que vois-tu ?   ماذا ترى؟

- Je **ne** vois **rien**.

لاحظ أن rien تحل محل que / quelque chose

| Ne ..... jamais |
| لا أبدًا |

Pour nier une phrase qui contient un des mots suivants:

(*toujours, souvent, quelque fois, quand, parfois*)

لنفي جملة تحتوي على أحد هذه الكلمات.

Ex. Tu vas toujours au club ?

هل تذهب دائمًا إلى النادي؟

- Non, je **ne** vais <u>jamais</u> au club.

Ex. Tu as visité la tour du Caire quand ?

متى زرت برج القاهرة؟

- Non, je **n'**ai <u>jamais</u> visité la tour du Caire.

Ex. Tu regardes souvent le match au stade ?

هل تشاهد غالبًا المباراة في الاستاد؟

- Non, je **ne** regarde <u>jamais</u> le match au stade.

Ex. Tu écoutes quelque fois la radio ?

هل تستمع أحيانًا إلى الراديو؟

- Non, je **n'**écoute <u>jamais</u> la radio.

| **Ne ..... pas encore** |
| ليس بعد |

Pour nier une phrase qui contient le mot: **déjà**

لنفي جملة تحتوي على كلمة déjà

Ex. Avez-vous déjà fini votre devoir ?

هل انتهيت من واجبك؟

- Non, je **n'ai** **pas encore** fini mon devoir.

Ex. Tu es déjà allé à paris ?

هل سبق وذهبت إلى باريس؟

- Non, je **ne** suis **pas encore** allé à paris.

| **Ne ..... plus** |
| لم يعد |

Pour nier une action qui a été lieu au passé et n'arrive plus maintenant.

لنفي حدث كان يقع في الماضي ولم يعد يحدث الآن.

Ex. Il **ne** pleut **plus** aujourd'hui.

| **Ne ...... que** |
| لا ..... سوى |

Pour la négation et l'exception

للنفي والاستثناء

Ex. Qu'est-ce que tu souhaites ?

ماذا تتمنى؟

- Je **ne** souhaite **que** réussir à l'examen.

Ex. Qu'est-ce qu'il cherche ?

عن أي شيء يبحث؟

- Il **ne** cherche **que** son calme. (هدوء)

Ne ..... aucun (e)

ولا واحد، ولا واحدة

Pour nier aucun nombre

لنفي وجود أي عدد.

Ex. Y a-t-il des élèves dans la classe ?

هل يوجد أحد من التلاميذ في الفصل؟

- Non, il **n'**y a **aucun** élève dans la classe.

Ex. As-tu des livres dans la poche ?

هل معك من الجنيهات في جيبك؟

- Non, je **n'**ai **aucune** livre dans la poche.

Ne ... ni ... ni ...

لا هذا ولا ذاك

Pour nier plus de chose

لنفي أكثر من شيء

Ex. Prends-tu du thé ou du café ?

ماذا تريد أن تأخذ قهوة أم شاي؟

- Non, je **ne** prends **ni** de thé **ni** de café.

Ex. Est-ce que le voleur était grand ou petit ?

هل كان اللص صغيرًا أم كبيرًا؟

- Non, il **n'**était **ni** grand **ni** petit.

Ne ...... guère [*ne pas beaucoup*]

Ex. Je **n'**ai **guère** le temps de me promener.

Ne ...... point [*langue littéraire*]

Ex. Vous **n'**avez **point** mangé.

ملحوظة:

1- لا تنسَ أن أدوات النكرة وأدوات التجزئة تتحول إلى 'de/d في الجملة المنفيـة، مـا عـدا إذا كـان فعـل الجملة الأساسي هو فعل être

2- في الأزمنة البسيطة يوضع الفعل المصرف بين أداتي النفي، أما في الأزمنة **المركبة** يوضع **الفعل المساعد** بين أداتي النفي.

****

Exercices sur la négation

<u>(1) Choisissez la bonne structure de négation:</u>

1- ... ne la change.

A	B	C	D
Pas	Rien	Plus	Jamais

2- ... n'habite dans cette maison.

A	B	C	D
Plus	Jamais	Personne	Ni

3- J'ai rencontré plusieurs couturiers, mais ... n'a été habile.

A	B	C	D
ni	pas	rien	aucune

4- ... ne l'a fait changer son opinion.

A	B	C	D
Rien	Chacun	Pas	Point

5- ... n'a pu le convaincre de retourner chez soi.

A	B	C	D
Ni	Personne	Point	Guère

6- Elle a parlé à plusieurs responsables, mais ... ne l'a aidé.

A	B	C	D
jamais	aucun	pas	nulle

7- Je lui ai demandé de m'apporter des timbres, mais il ne m'a ... apporté.

A	B	C	D
jamais	rien	personne	guère

8- J'ai acheté des bananes, mais je n'ai mangé ... .

A	B	C	D
point	rien	aucune	pas encore

(2) Répondez négativement aux questions suivantes:

1- Tu as un médicament pour son cas?

2- Avez-vous encore de l'argent?

3- Est-ce que vos enfants mangent de la viande?

4- Vous voulez encore du thé?

5- Est-ce que le film est déjà fini?

6- Voulez-vous encore des pommes pour le gâteau?

7- Est-ce qu'il t'a donné quelque chose?

8- As-tu trouvé quelqu'un qui peut t'aider?

(3) Mettez les phrases suivantes à la forme négative:

1- Sa maladie est déjà guérie.

2- Il aime les animaux.

3- Avez-vous entendu les explications du professeur ?

4- Le comité commence à 6 h. du soir.

5- partez tout de suite !

6- Il met des livres dans son sac.

7- C'est une très bonne promenade.

(4) Répondez négativement aux questions suivantes:

1- Tu as déjà vu un film policier ?

2- Tu te couches toujours à la même heure ?

3- Tu manges toujours à la même cantine ?

4- Tu as acheté quelque chose ?

5- Tu as déjà prêté quelqu'un ton livre ?

6- Tu regardes souvent la télé, le matin ?

7- Tu as visité la tour Eiffel quand ?

8- Tu as vu quelqu'un ?

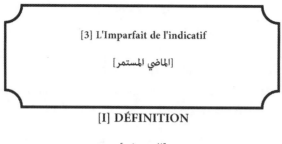

[3] L'Imparfait de l'indicatif

[الماضي المستمر]

[I] DÉFINITION

[التعريف]

C'est un temps du passé de forme simple : il est apte à traduire l'action non achevé (*aspect non accompli*). Il convient parfaitement à l'expression de la durée de l'action, dont il ne marque ni le début ni la fin. C'est pourquoi on peut le qualifier de *"présent en cours dans le passé"*. Il présente deux valeurs : l'une temporelle, l'autre modale.

[II] FORMATION

[التكوين]

Pour conjuguer un verbe à l'imparfait dans tous les cas des trois groupes : D'abord on conjugue le verbe au présent de l'indicatif avec le pronom personnel sujet (nous), la première personne du pluriel. Ensuite on barre le [nous] et la terminaison [ons]. Enfin on ajoute les terminaisons de l'imparfait.

يتكون الماضى المستمر بالنسبة لأفعال المجموعات الثلاثة من:

(1) تصريف الفعل في المضارع مع الشخص الأول الجمع (nous)

(2) نقوم بحذف الضمير [nous] والنهاية [ons] ثم نستبدلها بالنهايات التالية:

Je .... ais	Nous .... ions
Tu .... ais	Nous .... iez
Il/Elle .... ait	Ils/Elles ....aient

Exemple:

	Regarder	Choisir	Avoir	Lire
(1)	Nous regard**ons**	Nous choisiss**ons**	Nous avons	Nous lisons
(2)	Je regard**ais**	Je choisiss**ais**	J'avais	Je lisais
	Tu regard**ais**	Tu choisiss**ais**	Tu avais	Tu lisais
	Il regard**ait**	Il choisiss**ait**	Il avait	Il lisait
	Nous regard**ions**	Nous choisiss**ions**	Nous avions	Nous lisions
	Vous regard**iez**	Vous choisiss**iez**	Vous aviez	Vous lisiez
	Ils regard**aient**	Ils choisiss**aient**	Ils avaient	Ils lisaient

[III] Utilisation

[الاستعمال]

L'imparfait

1. Il exprime une action en cours d'accomplissement dans le passé, non achevée.

1- يُعَبِّر عن حَدَث في طَوْر الإِنْجاز في المَاضِي، لَمْ يَنْتَهِ بَعْد.

> **Ex.** *Il écrivait à sa sœur.*

كَانَ يَكْتُب لِأُخْتِهِ.

2. Il exprime une situation dans le passé.

2- يُعَبِّر عَنْ وَضْع أَوْ حَالَة في المَاضِي.

> *Ex. En 1960 mon père étudiait au Caire.*

سَنَة 1960 كَانَ أَبِي يَدْرُس فِي القَاهِرَة.

> *Ex. L'année passée, nous apprenions la musique.*

في العام الماضي كنا نتعلم الموسيقى.

3. Il exprime une description dans le passé.

3- يُعَبِّر عَنْ وَصْف فِي زَمَنِ المَاضِي.

> *Ex. Les arbres avaient les feuilles jaunes.*

كَانَت أَوْرَاق الأَشْجَار صَفْرَاء.

> *Ex. Hier, il faisait mauvais temps et le vent soufflait.*

أمس الطقس كان رديئا والرياح كانت تهب.

4. Il exprime une habitude dans le passé.

4- يُعَبِّر عَنْ عَادَةٍ فِي المَاضِي .

> *Ex. Chaque jour, nous mangions dans ce restaurant.*

كُنَّا نَأْكُل كُلَّ يَوْم فِي هَذَا المَطْعَم.

> *Ex. L'année dernière, je me levais tous les matins à sept heures et je faisais de la gymnastique.*

العام الماضي كنت أستيقظ كل صباح في الساعة السابعة وأمارس الرياضة البدنية.

5. Après [si] il peut exprimer:

5- بَعْد [si] يُعَبِّر عَنْ :

(a) L'hypothèse

> *Ex.* Si j'avais le temps, je vous rejoindrais.

لَوْ كُنْت أَمْلُك الوَقْت كُنْت سَأَنْضَمُّ إِلَيْكُم .

(b) Le regret

ب. الندم:

> *Ex.* Si je parlais français!

لَوْ كُنْتُ أَتَكَلَّمُ الفَرَنْسِيَّة!

(c) La délibération

ج. المشاورة:

> *Ex.* Et si on allait faire des courses.

مَاذَا لَوْ ذَهَبْنَا لِلتَّسَوُّق؟

6. Au discours rapporté, il remplace le présent après un verbe introductif au passé.

6- في الكَلام المَنْقُول، عِنْدَمَا يَكُون الفِعْل الَّذِي يُقَدِّم الكَلام في زَمَن المَاضِي فَإِنَّه يَحُلُّ مَحَلَّ الفِعْل المُضَارِع الرَّئِيسِيّ .

> *Ex.* Elle a dit qu'elle étudiait.

قَالَت إِنَّها كَانَت تَدْرُس.

7. Il est utilisé pour atténuer la réalité.

7- يستعمل لِتَلْطيف الحَقيقَة .

> Ex. Je voulais vous dire que la fenêtre est cassée.

كُنْت أُريد أَنْ أُخْبِرَكُم أَنَّ النَّافِذة مَكْسُورَة .

[IV] Remarques

[ملاحظات]

(1) زمن الماضي المستمر يعبر عن (كان) التي تسبق الفعل المضارع في اللغة العربية.

Ex. : Il participait   كان يشارك   Nous jouions   كنا نلعب

(2) نلاحظ أن الفعل (être) لا تنطبق عليه القاعدة السابقة؛ لأنه حينما نقوم بتصريفه مع الضمير (nous) نجد أن التصريف لا ينتهي بـ (ons)، ومن ثم لا يمكن تطبيق القاعدة عليه، وفي هذه الحالة نأتي بالجذر (ét) ثم نقوم بإضافة النهايات المتعارف عليها عليه. فيصبح تصريف فعل (être) كما يلي:

J'étais
Tu étais
Il était
Nous étions
Vous étiez
Ils étaient

(3) الفعلان الآتيان لا يتصرفان إلا مع الضمير (il)

Falloir	Il fallait	كان يجب
Pleuvoir	Il pleuvait	كانت تمطر

(4) Au passé, le verbe se conjugue à l'imparfait après les expressions suivantes:

au moment où	pendant que	autrefois	parce que

Ex. Pendant que je jouais au football, mon frère est arrivé sur le terrain.

Ex. Hier je ne suis pas allé chez mon oncle parce que j'étais très occupé.

الزمنان يدلان على حدث ماضي، ولكن الماضي المركب يدل على حدث لفترة زمنية قـصيرة في المـاضي،
أما الماضي المستمر فيدل على حدث لفترة زمنية مستمرة في الماضي.

Ex. Pendant que le professeur expliquait la leçon, Ali est entré en classe.

Ex. Pendant que je lisais mon livre, mon père est arrivé.

[V] Exercices sur l'imparfait

__Parmi ces choix, choisissez la réponse correcte.__

(1) Elle ... le ménage quand son mari est rentré.

A	B	C	D
a fait	fait	faisait	fera

(2) Quand j'ai fini mon devoir, ma sœur ... la dictée.

A	B	C	D
aura copié	copiera	copie	copiait

(3) Hier de cinq heures à sept heures, ma sœur ... pour l'examen.

A	B	C	D
étudiait	étudiera	étudie	étudierait

(4) À l'âge de quinze ans, son père ... pendant les vacances.

A	B	C	D
travaille	travaillera	travaillait	a travaillé

(5) Avant la reconstruction, leur maison ... les chambres trop petites et la cuisine trop grande.

A	B	C	D
avoir	avait	aurait	a

(6) Son grand-père ... toujours ses lunettes et ... à voix basse.

a	portait/parlait
b	a porté/a parlé
c	portera/parlera
d	porterait/parlerait

(7) Autrefois, ils ... chaque six mois.

A	B	C	D
voyagent	voyageaient	ont voyagé	voyageront

(8) D'habitude, elles ... leurs vacances sur la plage.

A	B	C	D
passeraient	passeront	ont passé	passaient

(9) S'ils ... , ils te téléphoneraient.

A	B	C	D
arrivent	arrivaient	arriveront	arriveraient

(10) Si mes amis ... sortir, ils viendraient avec moi faire des cours.

A	B	C	D
ont pu	peuvent	pouvaient	pourraient

(11) Si elle se ... de tout ce qu'on a fait pour elle!

A	B	C	D
souvient	souviendrait	souviendra	souvenait

(12) Ah! Si tu ... tes études!

A	B	C	D
finissais	finis	a fini	finira

(13) Si nous ... voir Jacques, cet après midi.

A	B	C	D
irions	allons	allions	irons

(14) Si on ... ses vacances à la montagne.

A	B	C	D
passait	passe	passera	a passé

(15) "J'ai faim." - Elle a dit qu'elle ... faim.

A	B	C	D
a	avait	aura	a eu

(16) "Il mange du chocolat." - Sa mère a dit qu'il ... du chocolat.

A	B	C	D
mangera	a mangé	mange	mangeait

(17) Il ... t'informer que tu as échoué à l'examen.

A	B	C	D
voudra	a voulu	voulait	veut

(18) Je ... vous dire que votre sœur est à l'hôpital.

A	B	C	D
suis venu	venais	viendrai	viens

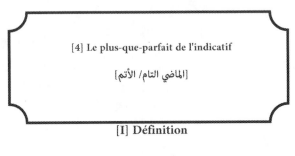

[4] Le plus-que-parfait de l'indicatif

[الماضي التام/ الأتم]

[I] Définition

[التعريف]

Forme composée, le plus-que-parfait convient à l'expression de l'aspect accompli. Le verbe auxiliaire étant à l'imparfait, on peut considérer le plus-que-parfait comme l'«antérieur de l'imparfait».

[II] Formation

[التكوين]

Il est formé de l'auxiliaire [être] ou [avoir] à l'imparfait plus le participe passé du verbe principal.

يتكون زمن الماضي التام من تصريف المساعد (avoir) أو (être) في زمن الماضي المستمر (imparfait) ثـم إضافة اسم المفعول (participe passé) من الفعل المراد تصريفه.

J'avais	J'étais		
Tu avais	Tu étais		
Il avait	Il était		
Nous avions	أو	Nous étions	+	Le participe passé
Vous aviez	Vous étiez		
Ils avaient	Ils étaient		

Ex. : Il a téléphoné mais j'étais déjà parti.

Ex. : Je suis allée en vacances là où "j'étais allée l'an dernier".

Attention:

Le choix de l'auxiliaire et l'accord du participe passé suivent les mêmes règles que pour le passé composé.

اختيار المساعد وتبعية اسم المفعول يتبعان نفس القواعد المتعارف عليها في زمن الماضي المركب.

[III] Utilisation

[الاستعمال]

Le plus-que-parfait exprime une action passée produite avant une autre action passée.

Ex. Je l'ai remercié parce qu'il m'avait envoyé un cadeau.

[IV] Exercices sur Le Plus-que-parfait

[A] Parmi ces choix, choisissez la réponse correcte.

(1) Ils ont visité ce village, puisqu'on le leur … .

A	B	C	D
avait conseillé	a conseillé	conseillait	conseille

(2) Le maître l'a puni parce qu'il … en classe.

A	B	C	D
a triché	triche	avait triché	trichera

(3) J'ai téléphoné mais tu … .

A	B	C	D
parte	partiras	es parti	étais parti

(4) Il n'est pas venu parce qu'ils … .

A	B	C	D
ne l'invitent pas	ne l'inviteront pas	ne l'avaient pas invité	ne l'ont pas invité

(5) Cet élève n'a pas réussi car il … .

A	B	C	D
N'étudie pas	N'étudiera pas	N'avait pas étudié	N'a pas étudié

(B) **Associez.**

1. Il a recommencé son travail.	a. Il s'était trompé.
2. Il a été renvoyé.	b. Il l'avait raté.
3. Il a retrouvé sa montre.	c. Il avait commis une faute professionnelle.
4. Il a réparé la chaise.	d. Il s'était endormi très tard.
5. Il a corrigé son erreur.	e. Il l'avait perdue.
6. Il a repassé son permis de conduire.	f. Il l'avait mal fait.
7. Il s'est trompé de rue.	g. Il l'avait cassée.
8. Il n'a pas entendu le réveil.	h. Il n'avait pas regardé sur son plan.

(C) **Mettez dans l'ordre.**

1. encore / avait / ne / devoirs / Paul / ses / fini / pas

2. ne / Agathe / complètement / fini / le / avait / pas / repassage

3. tout / sa / avait / du / chambre / elle / pas / rangé / ne

4. garçons / mis / ne / pyjama / les / se / pas / en / étaient / encore

5. étais / encore / ne / te / préparé / tu / pas

6. taxi / temps / eu / tu / appeler / le / un / avais / ne / pas / de

7. mais / tu / me / achevé / avais / fleurs / des / moins / au

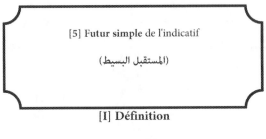

[5] **Futur simple** de l'indicatif

(المستقبل البسيط)

[I] Définition

[التعريف]

Le futur traduit un processus postérieur au moment actuel, des actions à réaliser.

[II] Formation

[التكوين]

يتكون المستقبل البسيط من الفعل منتهيًا بـ (r) مضافًا إليه النهايات الآتيه:

Je .... ai	Nous ...... ons
Tu .... as	Nous ...... ez
Il/Elle ...... a	Ils/Elles ......ont

Exemple:

Participer	Finir	Partir	Prendre
Je participerai	Je finirai	Je partirai	Je prendrai
Tu participeras	Tu finiras	Tu partiras	Tu prendras
Il participera	Il finira	Il partira	Il prendra
Nous participerons	Nous finirons	Nous partirons	Nous prendrons
Vous participerez	Vous finirez	Vous partirez	Vous prendrez
Ils participeront	Ils finiront	Ils partiront	Ils prendront

هناك العديد من الأفعال التي لا تنطبق عليها القاعدة السابقة ويتغير جذرها تمامًا ثم يُضاف عليه
النهايات ومنها:

Avoir	aur	Être	ser
Aller	ir	Devoir	devr
Pouvoir	pourr	Vouloir	voudr
Savoir	saur	Falloir	faudr
Faire	fer	Recevoir	recevr
Voir	verr	Venir	viendr
Courir	courr	Mourir	mourr
Envoyer	enverr	Cueillir	cueiller
Valoir	vaudr	Pleuvoir	pleuvr
Tenir	tiendr	Acquérir	acquerr

[III] Utilisation

[الاستعمال]

(1) للتعبير عن حدث سيتم في المستقبل.

Demain, nous ferons nos devoirs.

Demain, nous irons au cinéma.

(2) من الكلمات الداله على هذا الزمن:

Demain, après-demain, la semaine prochaine, le mois prochain, l'année prochaine, dans quelques jours, Vendredi prochain, Jeudi prochain ... etc.

[IV] Exercices sur Le Futur Simple

Parmi ces choix, choisissez la réponse correcte.

(1) Il ... en France le mois prochain.

A	B	C	D
ira	va	est allé	allait

(2) Nous ... bientôt à l'examen.

A	B	C	D
avions passé	passions	avons passé	passerons

(3) Demain, ils ... de bonne heure.

A	B	C	D
rentreront	rentrons	rentraient	sont rentrés

(4) Si tu lui offres un cadeau, il t'en ... chaleureusement.

A	B	C	D
remercie	remerciera	a remercié	remerciait

(5) Si tu bavardes en classe, on te ... .

A	B	C	D
punira	punit	punissait	punisse

(6) Si elle souffre encore, j' ... le médecin.

A	B	C	D
ai appelé	appellerai	appelais	appelle

[6] Futur antérieur de l'indicatif

[المستقبل الأسبق]

[I] Formation

[التكوين]

Il est formé de l'auxiliaire [être] ou [avoir] au futur simple plus le participe passé du verbe principal.

المستقبل الأسبق وهو زمن مركب يتكون مـن تـصريف المسـاعد (avoir) أو (être) في زمـن المـستقبل البسيط (le futur simple) ثم إضافة اسم المفعول (le participe passé) من الفعل المراد تصريفه.

الأربعة عشر فعلا الذين يأخذون المساعد (être) في زمن الماضي المركب هم نفس الأفعـال التـي تـأتي مع المساعد (être) في كافة الأزمنة المركبة.

J'aurai		Je serai		
Tu auras		Tu seras		
Il aura	أو	Il sera	+	Le participe passé
Nous aurons		Nous serons		
Vous aurez		Vous serez		
Ils auront		Ils seront		

Ex.

		Regarder	Arriver	Jouer	Aller
Singulier	1ère pers.	J'aurai regardé	Je serai arrivé	J'aurai joué	Je serai allé
	2ème pers.	Tu auras regardé	Tu seras arrivé	Tu auras joué	Tu seras allé
	3ème pers.	Il aura regardé	Il sera arrivé	Il aura joué	Il sera allé
	3ème pers.	Elle aura regardé	Elle sera arrivée	Elle aura joué	Elle sera allée
Pluriel	1ère pers.	Nous aurons regardé	N. serons arrivés	Nous aurons joué	N. serons allés
	2ème pers.	Vous aurez regardé	V. serez arrivés	Vous aurez joué	V. serez allés
	3ème pers.	Ils auront regardé	Ils seront arrivés	Ils auront joué	Ils seront allés
	3ème pers.	Elles auront regardé	Elles seront arrivées	Elles auront joué	Elles seront allées

Se promener		
Singulier	1ère pers.	Je me serai promené
	2ème pers.	tu te seras promené
	3ème pers.	Il se sera promené
	3ème pers.	Elle se sera promenée
Pluriel	1ère pers.	N. nous serons promenés
	2ème pers.	V. vous serez promenés
	3ème pers.	Ils se seront promenés
	3ème pers.	Elles se seront promenées

Attention:

Le choix de l'auxiliaire et l'accord du participe passé suivent les mêmes règles que pour le passé composé.

اختيار المساعد وتبعية اسم المفعول يتبعان نفس القواعد المتعارف عليها في زمن الماضي المركب.

[II] Utilisation

[الاستعمال]

يستعمل المستقبل الأسبق للتعبير في عبارة واحدة عـن حـدثين في المـستقبل. بحيـث نـضع الحـدث الذي يحدث أولا في زمن المستقبل الأسبق (futur antérieur) والحدث اللاحق الـذي يليـه يوضـع في زمـن المستقبل البسيط (futur simple).

Ex. Quand j'aurai fini mes études, je marierai.

[7] Le Passé Simple de l'indicatif

[الماضي البسيط]

[I] Formation

[التكوين]

المجموعة الثالثة		المجموعة الثانية	المجموعة الأولى
شواذ		حذف الـ ir وإضافة النهايات	حذف الـ er وإضافة النهايات
Je -- is	Je -- us	Je -- is	Je -- ai
Tu -- is	Tu -- us	Tu -- is	Tu -- as
Il -- it	Il -- ut	Il -- it	Il -- a
N. -- îmes	N. -- ûmes	Nous -- îmes	Nous -- âmes
V. -- îtes	V. -- ûtes	Vous -- îtes	Vous -- âtes
Ils -- irent	Ils -- urent	Ils -- irent	Ils -- èrent

V. **Regarder** au Passé Simple de l'indicatif		
Singulier	1ère pers.	Je regardai
	2ème pers.	Tu regardas
	3ème pers.	Il/Elle regarda
Pluriel	1ère pers.	Nous regardâmes
	2ème pers.	Vous regardâtes
	3ème pers.	Ils/Elles regardèrent
V. **Finir** au Passé Simple de l'indicatif		
Singulier	1ère pers.	Je finis
	2ème pers.	Tu finis
	3ème pers.	Il/Elle finit
Pluriel	1ère pers.	Nous finîmes
	2ème pers.	Vous finîtes
	3ème pers.	Ils/Elles finirent

أما المجموعة الثالثة فكلها غير منتظمة في التصريف، ولها ثلاث نهايات (is) أو (us) و (ins).

		Répondre	Courir	Venir
Singulier	1ère pers.	Je répondis	Je courus	Je vins
	2ème pers.	tu répondis	Tu courus	Tu vins
	3ème pers.	Il répondit	Il courut	Il vint
Pluriel	1ère pers.	N. répondîmes	N. courûmes	N. vinmes
	2ème pers.	V. répondîtes	V. courûtes	V. vîntes
	3ème pers.	Ils répondirent	Ils coururent	Ils vinrent

[II] Utilisation

[الإستخدام]

(1) للتعبير عن حدث انتهى تمامًا في الماضي وفي وقت محدد.

Nous voyageâmes à Paris en 1985.

(2) في التاريخ والقصص.

Le président nationalisa le Canal en 1956.

نلاحظ أن هذا الزمن يستعمل حاليًا في الكتابة فحسب، وأن زمن الماضي المركب هو الزمن المتعارف عليه في هذه الآونة في التخاطب وفي الكتابة أيضًا.

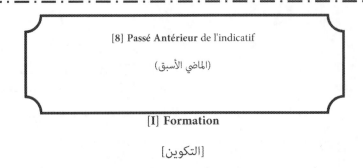

[8] Passé Antérieur de l'indicatif

(الماضي الأسبق)

[I] Formation

[التكوين]

Il est formé de l'auxiliaire [être] ou [avoir] au passé simple plus le participe passé du verbe principal.

الماضي الأسبق وهو زمن مركب يتكون من تصريف المساعد (avoir) أو (être) في زمن الماضي البسيط (le passé simple) ثم إضافة اسم المفعول (le participe passé) من الفعل المراد تصريفه.

J'eus		Je fus		
Tu eus		Tu fus		
Il eut	أو	Il fut	+	Le participe passé
Nous eûmes		Nous fûmes		
Vous eûtes		Vous fûtes		
Ils eurent		Ils furent		

		Regarder	Arriver	Jouer	Aller
Singulier	1ère pers.	J'eus regardé	Je fus arrivé	J'eus joué	Je fus allé
	2ème pers.	Tu eus regardé	Tu fus arrivé	Tu eus joué	Tu fus allé
	3ème pers.	Il eut regardé	Il fut arrivé	Il eut joué	Il fut allé
	3ème pers.	Elle eut regardé	Elle fut arrivée	Elle eut joué	Elle fut allée
Pluriel	1ère pers.	Nous eûmes regardé	N. fûmes arrivés	Nous eûmes joué	N. fûmes allés
	2ème pers.	Vous eûtes regardé	V. fûtes arrivés	Vous eûtes joué	V. fûtes allés
	3ème pers.	Ils eurent regardé	Ils furent arrivés	Ils eurent joué	Ils furent allés
	3ème pers.	Elles eurent regardé	Elles furent arrivées	Elles eurent joué	Elles furent allées

	S'asseoir	
Singulier	1ère pers.	Je me fus assis
	2ème pers.	tu te fus assis
	3ème pers.	Il se fut assis
	3ème pers.	Elle se fut assise
Pluriel	1ère pers.	N. nous fûmes assis
	2ème pers.	V. vous fûtes assis
	3ème pers.	Ils se furent assis
	3ème pers.	Elles se furent assises

Attention:

Le choix de l'auxiliaire et l'accord du participe passé suivent les mêmes règles que pour le passé composé.

اختيار المساعد وتبعية اسم المفعول يتبعان نفس القواعد المتعارف عليها في زمن الماضي المركب.

[II] Utilisation

[الاستعمال]

يستعمل الماضي الأسبق للتعبير عن حدثين في الماضي بحيث نضع الحدث الذي يحدث أولا في زمن الماضي الأسبق (passé antérieur) والحدث اللاحق الذي يليه يوضع في زمن الماضي البسيط (futur simple).

Ex. Quand il eut fini ses études, il maria.

[II] LE MODE CONDITIONNEL

[الصيغة الشرطية]

(1) Le Conditionnel Présent

[مضارع الشرط]

[I] Formation

[التكوين]

يتكون مضارع الشرط من الفعل منتهيًا بـ (r) مضافًا إليه نهايات زمن الماضي المستمر (imparfait) الآتية:

Je .... ais	Nous ...... ions
Tu .... ais	Nous ...... iez
Il/Elle ...... ait	Ils/Elles ......aient

Exemple:

Participer	Finir	Partir	Prendre
Je participerais	Je finirais	Je partirais	Je prendrais
Tu participerais	Tu finirais	Tu partirais	Tu prendrais
Il participerait	Il finirait	Il partirait	Il prendrait
Nous participerions	Nous finirions	Nous partirions	Nous prendrions
Vous participeriez	Vous finiriez	Vous partiriez	Vous prendriez
Ils participeraient	Ils finiraient	Ils partiraient	Ils prendraient

هناك العديد من الأفعال التي لا تنطبق عليها القاعدة السابقة (كما هو الحال تمامًا المستقبل البسيط (Le futur simple) ويتغير جذرها تمامًا ثم يُضاف إليه نهايات الماضي المستمر، ومنها:

Avoir	aur	Être	ser
Aller	ir	Devoir	devr
Pouvoir	pourr	Vouloir	voudr
Savoir	saur	Falloir	faudr
Faire	fer	Recevoir	Recevr
Voir	verr	Venir	viendr
Courir	courr	Mourir	mourr
Envoyer	enverr	Cueillir	cueiller
Valoir	vaudr	Pleuvoir	pleuvr
Tenir	tiendr	Acquérir	acquerr

Ex.

Je ne **ferais** pas comme toi.

Tu **verrais** mieux.

On **pourrait** le faire.

Nous ne **saurions** pas tout.

Est-ce que vous **auriez** plus d'argent?

Elles **enverraient** des nouvelles.

[II] Utilisation

[الاستعمال]

(1) Faire une suggestion.

Tu n'*aimerais* pas regarder une vidéo?

Ça te *dirait* d'aller prendre un verre?

Ça te *plairait* de venir?

(2) Donner un conseil.

Tu *devrais*/tu *pourrais* lui parler.

À votre place, je lui *parlerais* tout de suite.

Si j'étais toi, je n'*accepterais* pas.

(3) Exprimer une demande atténuée.

Tu *pourrais* faire un peu moins de bruit?

[III] Exercices sur Le conditionnel présent

Parmi ces choix, choisissez la réponse correcte.

(1) Je croyais qu'il ... beau.

A	B	C	D
fait	a fait	faisait	ferait

(2) Ils savaient que tu ... le lendemain.

A	B	C	D
viendrais	viendras	viens	en venu

(3) Je pensais qu'il ... les convaincre.

A	B	C	D
put	peut	pourrait	pourra

(4) ... -vous m'aider à porter ce colis?

A	B	C	D
Pouviez	Pourriez	Puissiez	Avez pu

(5) Ils ... vous parler de leurs problèmes.

A	B	C	D
aimeront	ont aimé	aimeraient	aiment

(6) Nous ... du café.

A	B	C	D
avons voulu	voulons	voudrons	voudrions

(7) Je ... avoir votre opinion sur la question.

A	B	C	D
souhaiterais	souhaite	souhaiterai	ai souhaité

(8) Mon frère ... bien monter en avion.

A	B	C	D
aimant	a aimé	aimait	aimerait

(9) Je ... être seule.

A	B	C	D
souhaite	souhaiterais	souhaiterai	ai souhaité

(10) S'il était maintenant présent, il me ... à l'hôtel.

A	B	C	D
conduit	conduisait	conduirait	conduise

(11) Si tu avais un peu d'argent, tu ... les travaux.

A	B	C	D
termineras	terminais	avais terminé	terminerais

(12) ... vos parents.

A	B	C	D
informerez	informiez	informez	avez informé

(13) ... les fenêtres et ... la porte.

A	B	C	D
as ouvert/as fermé	ouvrais/fermais	ouvriras/fermeras	ouvre/ferme

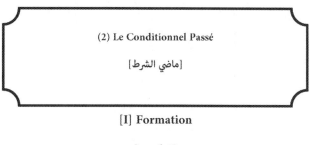

(2) Le Conditionnel Passé

[ماضي الشرط]

[I] Formation

[التكوين]

Il est formé de l'auxiliaire [être] ou [avoir] au conditionnel présent plus le participe passé du verbe principal.

يتكون زمن ماضي الشرط من تصريف المساعد (avoir) أو (être) في زمن مضارع الشرط (conditionnel présent) ثم إضافة اسم المفعول (participe passé) من الفعل المراد تصريفه.

J'aurais		Je serais	
Tu aurais		Tu serais	
Il aurait	أو	Il serait	+ Le participe passé
Nous aurions		Nous serions	
Vous auriez		Vous seriez	
Ils auraient		Ils seraient	

Ex.

		Regarder	Arriver	Jouer	Aller
Singulier	1ère pers.	J'aurais regardé	Je serais arrivé	J'aurais joué	Je serais allé
	2ème pers.	Tu aurais regardé	Tu serais arrivé	Tu aurais joué	Tu serais allé
	3ème pers.	Il aurait regardé	Il serait arrivé	Il aurait joué	Il serait allé
	3ème pers.	Elle aurait regardé	Elle serait arrivée	Elle aurait joué	Elle serait allée
Pluriel	1ère pers.	N. aurions regardé	N. serions arrivés	N. aurions joué	N. serions allés
	2ème pers.	V. auriez regardé	V. seriez arrivés	V. auriez joué	V. seriez allés
	3ème pers.	Ils auraient regardé	Ils seraient arrivés	Ils auraient joué	Ils seraient allés
	3ème pers.	Elles auraient regardé	Elles seraient arrivées	Elles auraient joué	Elles seraient allées

Ex.

J'aurais couru.

Il ne **serait** pas **tombé.**

Vous **seriez**-vous **blessé?**

Se promener		
Singulier	1ère pers.	Je me serais promené
	2ème pers.	tu te serais promené
	3ème pers.	Il se serait promené
	3ème pers.	Elle se serait promenée
Pluriel	1ère pers.	N. nous serions promenés
	2ème pers.	V. vous seriez promenés
	3ème pers.	Ils se seraient promenés
	3ème pers.	Elles se seraient promenées

Attention:

Le choix de l'auxiliaire et l'accord du participe passé suivent les mêmes règles que pour le passé composé.

اختيار المساعد وتبعية اسم المفعول يتبعان نفس القواعد المتعارف عليها في زمن الماضي المركب.

Elle serait arrivée hier. Cette femme, j'aurais reconnue, c'est probable.

[II] Utilisation

[الاستعمال]

(1) Exprimer un reproche.

Vous *auriez pu*/Vous *auriez dû* nous informer.

À votre place, je lui *aurais parlé*.

Si j'avais été toi, je n'*aurais* rien *dit*.

(2) Exprimer un regret.

J'aurais dû faire autrement.

Nous aurions pu y aller.

Si j'avais su (pu), je serais venu.

(3) Exprimer une demande atténuée.

Vous n'auriez pas vu un petit chien blanc?

(4) Donner une information incertaine.

Céline et Robert seraient à Rome où ils se seraient mariés dans la plus grande intimité.

Si	Présent	Présent

Ex. Si j'ai le temps, je vais au Caire.

Ex. Si j'ai faim, je mange.

Si	Présent	Futur Simple

Ex. Si j'ai le temps, j'irai au Caire.

Ex. Si j'ai faim, je mangerai.

Si	Présent	Impératif

Ex. S'il fait froid, ferme la porte.

Si	Imparfait	Conditionnel Présent

Ex. Si tu travaillais, tu réussirais.

Si	Plus-que-parfait	Conditionnel Passé

Ex. Si tu avais travaillé, tu aurais réussi.

[III] LE MODE SUBJONCTIF

[صيغة الشك]

Le subjonctif est le mode que le parleur utilise pour apprécier la réalisation ou les possibilités de réalisation de l'action. À travers le subjonctif le parleur peut exprimer des sentiments, des jugements, des doutes, dire à quelqu'un de faire quelque chose, conseiller ... etc.

(1) Le Subjonctif Présent

[مضارع الشك]

[I] Formation

[التكوين]

يتكون زمن مضارع الشك من تصريف الفعل في المضارع الإخباري (présent indicatif) مـع الـشخص الثالث في الجمع (ils) وحذف النهاية (ent) وإضافة النهايات الآتية بالنسبة للضمائر:

1ère pers. du sing.	Je	- - - e
2ème pers. du sing.	Tu	- - - es
3ème pers. du sing.	Il/Elle	- - - e
3ème pers. du plur.	Ils/Elles	- - - ent

1ère pers. du plur.	Nous	- -- ions
2ème pers. du plur.	Vous	- -- iez

Ex.

Prendre au Subjonctif Présent	
Ils prenn**ent** [*présent indicatif*]	
prenn + [e / es / e / ent]	
1ère pers. du sing.	que je prenne
2ème pers. du sing.	que tu prennes
3ème pers. du sing.	qu'il prenne
3ème pers. du plur.	qu'ils prennent
Nous pren**ons** [*présent indicatif*]	
pren + [ions / iez]	
1ère pers. du plur.	que nous prenions
2ème pers. du plur.	que vous preniez

		Regarder	Finir
Singulier	1ère pers.	que je regarde	que je finisse
	2ème pers.	que tu regardes	que tu finisses
	3ème pers.	qu'il regarde	qu'il finisse
	3ème pers.	qu'elle regarde	qu'elle finisse
Pluriel	1ère pers.	que nous regardions	que nous finissions
	2ème pers.	que vous regardiez	que vous finissiez
	3ème pers.	qu'ils regardent	qu'ils finissent
	3ème pers.	qu'elles regardent	qu'elles finissent

وهناك العديد من الأفعال التي لا تسري عليها القاعدة السابقة في التكوين، ومنها:

Faire	Avoir	Pouvoir	Aller
que je fasse	que j'aie	que je puisse	que j'aille
que tu fasses	que tu aies	que tu puisses	que tu ailles
qu'il fasse	qu'il ait	qu'il puisse	qu'il aille
que nous fassions	que nous ayons	que nous puissions	que nous allions
que vous fassiez	que vous ayez	que vous puissiez	que vous alliez
qu'ils fassent	qu'ils aient	qu'ils puissent	qu'ils aillent

Être	Vouloir	Savoir	Valoir
que je sois	que je veuille	que je sache	que je vaille
que tu sois	que tu veuilles	que tu saches	que tu vailles
qu'il soit	qu'il veuille	qu'il sache	qu'il vaille
que nous soyons	que nous voulions	que nous sachions	que nous valions
que vous soyez	que vous vouliez	que vous sachiez	que vous valiez
qu'ils soient	qu'ils veuillent	qu'ils sachent	qu'ils vaillent

[II] Remarques

[ملاحظات]

(1) نلاحظ في تكوين زمن مضارع الشك أن كل شخص في التصريف لا بد أن يسبقه ('que/qu).

J'aimerais **que** tu viennes ce soir.
Je préfère **qu'**on prenne la voiture.
J'attends **que** vous me répondiez.
Il veut bien **que** nous sortions ce soir.

(2) الفعلان (falloir/pleuvoir) لا يصرفان سوى مع الشخص الثالث المفرد كالتالي:

Falloir : qu'il faille

Pleuvoir : qu'il pleuve

[الاستعمال]

(1) يأتي زمن مضارع الشك مع الأفعال التي تعبر عن الرغبة أو الإرادة أو التمني أو الطلب:

Demander	يطلب	Ordonner	يأمر
Souhaiter	يتمنى	Défendre	يمنع
Exiger	يستلزم	Permettre	يسمح
Désirer	يرغب	Vouloir	يريد
Espérer	يأمل	Attendre	ينتظر
Commander	يأمر	Convoiter	يتمنى

Ex. J'espère que Dieu te **fasse** miséricorde!

لِيَرْحَمْكَ اللـه!

Ex. **Fasse** le ciel que …

عَسَى اللـه أَن …

(2) يأتي مضارع الشك بعد الأفعال التي تعبر عن الفرحة أو الحزن أو الدهشة أو الخوف.

S'étonner	يندهش	Être étonné	يدهش
Être fâché	يكون متكدرًا	Être surpris	يفاجأ
Craindre	يخشى	Avoir honte	يخجل
Se réjouir	يفرح	Redouter	يهاب، يخشى
Regretter	يأسف	Être content	يكون مسرورًا
Avoir peur	يخاف	Être heureux	يكون سعيدًا
Émerveiller	أدهش	Appréhender	تَخَوَّف

(3) بعد اسم التفضيل:

le premier	الأول	la première	الأولى
le dernier	الأخير	la dernière	الأخيرة
le seul	الوحيد	la seule	الوحيدة

Ex. C'est le seul professeur qui sache plusieurs langues.

(4) يأتي زمن مضارع الشك مع التعبيرات غير الشخصية (les expressions impersonnelles).

Il faut que	يجب أن	Il suffit que	يكفي أن
Il est nécessaire que	من الضروري أن	Il est impossible que	من غير الممكن أن
Il est rare que	من النادر أن	Il est bon que	من الجيد أن
Il est juste que	من الحق أن	Il est mauvais que	من السيء أن
Il est temps que	حان الوقت أن	Il est possible que	من الممكن أن

Ex. Il faut qu'il revienne يَجِبُ أنْ يَعُودَ

Ex. Il faut que jeunesse se passe.

(5) يأتي مضارع الشك مع العديد من التعبيرات العطفية:

jusqu'à ce que	حتى أن	de sorte que	على أن
à condition que	بشرط أن	avant que	قبل أن
afin que	لكي	quoique	مع أن
de peur que	خوفًا من أن	pourvu que	بشرط أن
sans que	بدون أن	à moins que	إلا أن
en attendant que	في انتظار أن، إلى أن، ريثما	bien que	مع أن، على الرغم من
pour que	لأجل أن	de peur que	خوفًا من

Ex.

Je resterai *jusqu'à ce que* vous **reveniez**	سَأَبْقَى إلى حِين عَوْدَتِك
Travaillez *afin que* vous **réussissiez**	اعْمَل لِتَنْجَح
En attendant que la douleur se **passe**	بِانْتِظَار زَوَال الأَلَم
C'est trop lourd *pour que* je puisse le porter	هَذَا أَثْقَل مِنْ أَنْ أَتَمَكَّن مِنْ حَمْلِهِ
Faites quelque chose *avant qu*'il ne **soit** trop tard	أَفْعَل شَيْئًا قَبْل فَوَات الأَوَان
Il passera de l'eau sous le pont *avant que* ça se **fasse**	سَيَمْضِي وَقْت طَوِيل قَبْل أَنْ يَتِمّ الأَمْر
Quoiqu'il **advienne**	مَهْمَا حَدَث
Oh! *Pourvu que* je **tienne** jusqu'à l'aube!	أُوه، المُهِمّ أَنْ أَتَمَاسَك حَتَّى الفَجْر!

(6) أيضًا يأتي مضارع الشك بعد الأفعال التي تعبـر عـن الـرأي (verbes d'opinion) بحيـث تكـون إمـا فـي الاستفهام وإما في النفي.

| Croire | يعتقد |
| Penser | يظن |

Ex. Penses-tu qu'il vienne? Je ne pense qu'il vienne.

[IV] Exercices sur le subjonctif présent

Parmi ces choix, choisissez la réponse correcte.

(1) Il faut ... elle revienne de bonne heure.

a	b	c	d
qu'	d'	si	qui

(2) Je suis heureux ... nous partions ensemble.

a	b	c	d
si	de	que	qui

(3) Nous sommes contents ... tu sortes ce soir.

a	b	c	d
qui	si	de	que

(4) Leur père refuse qu'ils ... sa voiture.

a	b	c	d
ont pris	prenaient	prennent	prendront

(5) Il regrette ... ses amis soient en retard.

a	b	c	d
que	si	de	qui

(6) Elle exige qu'il ... à l'heure.

a	b	c	d
est	soit	sera	être

(7) Maman permet que je ... avant de dormir.

a	b	c	d
lise	lis	lisais	lirai

(8) Le directeur ordonne que les employés ... à la réunion.

a	b	c	d
viendront	viennent	venaient	viendraient

(9) Je désire qu'elle ... à sa sœur.

a	b	c	d
parlait	parlerait	parlera	parle

(10) J'ai envie qu'on ... les vacances à la montagne.

a	b	c	d
passera	passait	passe	a passé

(11) Nous souhaitons qu'il ... gagner la course.

a	b	c	d
puisse	peux	pourra	pouvait

(12) Elle souhaite que vous ... un bon voyage.

a	b	c	d
ferez	faisiez	faites	fassiez

(13) Il préfère qu'on ... dans ce restaurant.

a	b	c	d
mangera	mange	mangeait	a mangé

(14) Je recommande qu'il ... une leçon particulière.

a	b	c	d
prendrait	prendra	prenne	prenait

(15) J'apprécie que tu lui ... des conseils.

a	b	c	d
donnes	donneras	donner	donnais

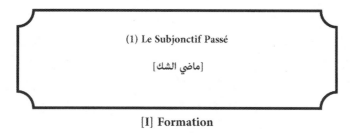

(1) Le Subjonctif Passé

[ماضي الشك]

[I] Formation

[التكوين]

Il est formé de l'auxiliaire [être] ou [avoir] au **passé du subjonctif** plus le participe passé du verbe principal.

يتكون زمن ماضي الشك من تصريف المساعد (avoir) أو (être) في زمن مضارع الشك (Subjonctif Présent) ثم إضافة اسم المفعول (participe passé) من الفعل المراد تصريفه.

que j'aie		que je sois		
que tu aies		que tu sois		
qu'il ait	أو	qu'il soit	+	Le participe passé
que nous ayons		que nous soyons		
que vous ayez		que vous soyez		
qu'ils aient		qu'ils soient		

Ex.

Regarder	Arriver	Jouer	Aller
que j'aie regardé	que je sois arrivé	que j'aie joué	que je sois allé
que tu aies regardé	que tu sois arrivé	que tu aies joué	que tu sois allé
qu'il ait regardé	qu'il soit arrivé	qu'il ait joué	qu'il soit allé
que nous ayons regardé	que nous soyons arrivés	que nous ayons joué	que nous soyons allés
que vous ayez regardé	que vous soyez arrivés	que vous ayez joué	que vous soyez allés
qu'ils aient regardé	qu'ils soient arrivés	qu'ils aient joué	qu'ils soient allés

Se promener		
Singulier	1ère pers.	Je me sois promené
	2ème pers.	Tu te sois promené
	3ème pers.	Il se soit promené
	3ème pers.	Elle se soit promenée
Pluriel	1ère pers.	N. nous soyons promenés
	2ème pers.	V. vous soyez promenés
	3ème pers.	Ils se soient promenés
	3ème pers.	Elles se soient promenées

[II] Utilisation

[الاستعمال]

Utilisation	Exemples
Le subjonctif s'utilise pour exprimer	
(1) un sentiment (*regret, joie, peur, tristesse...*)	*Je suis content que tu nous aies donné de tes nouvelles mais déçu que tu ne puisses pas venir.*
(2) une nécessité, une volonté, un ordre, une interdiction	*Il faut que nous nous mettions immédiatement au travail.*
(3) un souhait, un désir, un conseil	*J'aimerais que vous me répondiez le plus vite possible.*
(4) un jugement moral, une appréciation	*Je trouve scandaleux que Paul lui ait répondu d'une manière aussi irrespectueuse.*
(5) une possibilité	*Il est possible que Jules ait réussi à se libérer.*

Exercices sur le subjonctif passé

<u>Parmi ces choix, choisissez la réponse correcte.</u>

(1) Il vaut mieux qu'il ... la vérité.

A	B	C	D
dit	dise	dira	disait

(2) Il est important qu'ils ... prudents.

A	B	C	D
soient	seront	sont	seraient

(3) Il est utile que nous ... conseil de nos parents.

A	B	C	D
avons pris	prendrons	prenons	prenions

(4) Il arrive que le médecin ... malade.

A	B	C	D
était	sera	soit	est

(5) Il est nécessaire qu'elle ... la vérité.

A	B	C	D
sache	sait	savait	saura

(6) Sa mère est contente qu'il ... à l'école sans pleurer.

A	B	C	D
aller	ira	va	aille

(7) Elle est gênée que sa fille ... du café au lieu du lait.

A	B	C	D
boira	boit	boive	buvait

(8) Le maître est triste que tous les élèves ... de mauvaises notes.

A	B	C	D
auront	aient	avaient	ont

(9) Il est désolé que sa grand-mère ... malade.

A	B	C	D
était	sera	est	soit

(10) Je suis content qu'ils ... mon avis.

A	B	C	D
demandent	ont demandé	demandaient	demanderont

(11) Maman prépare le dîner avant que j' ... .

A	B	C	D
arrivais	arrive	arriverai	arriverais

(12) Il chante pour ses enfants pour qu'ils ... .

A	B	C	D
dormir	dormiront	dorment	dormiraient

(13) Vous resterez jusqu'à ce que je vous ... de partir!

A	B	C	D
dire	dirai	dis	dise

(14) Quoi que nous ... , il ne sera pas content.

A	B	C	D
avons fait	faisions	fassions	ferons

(15) Il n'a pas visité le Louvre bien qu'il ... en France.

A	B	C	D
étudie	étudiera	étudiait	a étudié

(16) Je t'emmène à condition que tu te ... tranquille.

A	B	C	D
tiendras	tiennes	tenais	tiens

(17) Elle est accueillie respectueusement où qu'elle ... .

A	B	C	D
ira	va	aille	allait

(18) Je ne pense pas qu'elles ... en vacances cet été.

A	B	C	D
partent	partiront	partiraient	partaient

(19) Elle n'est pas sûre que son grand-père ... le téléphone.

A	B	C	D
entendait	entendra	entend	entende

(20) Je ne crois pas qu'il ... beau temps.

A	B	C	D
faisait	fasse	fera	fait

(21) Nous n'imaginons pas qu'il ... ce problème.

A	B	C	D
résolve	résout	résoudra	résolvait

(22) Je crois que vous vous ... .

A	B	C	D
trompiez	trompez	tromperez	tromperiez

(23) Il est sûr qu'ils ... l'année dernière.

A	B	C	D
viennent	venir	sont venus	viendront

(24) Je pense qu'elle ... à la campagne chaque été.

A	B	C	D
va	ira	aille	aller

[IV] LE MODE IMPÉRATIF

[صيغة الأمر]

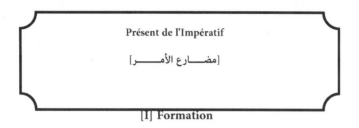

Présent de l'Impératif

[مضـــارع الأمـــــر]

[I] Formation

[التكوين]

يتكون مضارع الأمر من تصريف الفعـل في المـضارع الإخبـاري مـع الـضمائر الثلاثـة (tu/nous/vous) ونقوم بحذف هذه الضمائر على النحو التالي:

Infinitif	Présent	Impératif affirmatif	Traduction	Impératif négatif
Regarder	Tu regardes	regarde	شاهد	ne regarde pas
	Nous regardons	regardons	لنشاهد	ne regardons pas
	Vous regardez	regardez	شاهدوا	ne regardez pas

	Tu prends	prends	خذ	ne prends pas
Prendre	**Nous** prenons	prenons	لنأخذ	ne prenons pas
	Vous prenez	prenez	خذوا	ne prenez pas
	Tu choisis	choisis	اختار	ne choisis pas
Choisir	**Nous** choisissons	choisissons	لنختار	ne choisissons pas
	Vous choisissez	choisissez	اختاروا	ne choisissez pas
	Tu te lèves	lève-toi	قم	**ne te lève pas**
Se lever	**Nous** nous levons	levons-nous	لنقم	**ne nous levons pas**
	Vous vous levez	levez-vous	قوموا	**ne vous levez pas**

[II] Remarques

[ملاحظات]

(1) مع أفعال المجموعة الأولى المنتهية بـ (er) نقوم بحذف حرف الـ (s) الموجود في تصريف الفعل مع الضمير (tu) كما هو موضح في الجدول السابق.

(2) يحول الضمير te إلى الضمير toi في الأمر المثبت ثم يحول الضمير (toi) في الأمر المنفي إلى (te).

(3) شواذ الأمر وهي الثلاثة أفعال (avoir/être/savoir) وتُصرف في الأمر كالآتي:

Avoir = aie, ayons, ayez

Savoir = sache, sachons, sachez

Être = sois, soyons, soyez

[III] Utilisation

[الاستعمال]

نستخدم صيغة الأمر للتعبير عن:

(1) الطلب (la demande)

Donnez-moi ton portable.

(2) الأمر (l'ordre)

Va à ta place.

(3) النصيحة (le conseil)

Travaille pour réussir.

Parmi ces choix, choisissez la réponse correcte.

(1) ... la pomme avant de la manger.

A	B	C	D
Laver	Lave	A lavé	Lavais

(2) ... ton devoir et puis ... la télévision.

A	B	C	D
Avais fini/As regardé	Finirais/ Regarderas	As fini/ Regarde	Finis/Regarde

(3) ... visite à votre grand-mère.

A	B	C	D
Rendez	Rendrez	Rendiez	Rendriez

(4) Ne ... pas votre argent.

A	B	C	D
dépenserez	dépensiez	dépensez	dépenseriez

(5) Ne ... pas cette route.

A	B	C	D
prendrons	prenons	prenions	prendrions

(6) ... bien vos affaires.

A	B	C	D
Range	Rangeons	Rangent	Rangez

(7) ... ta sœur à plier les vêtements.

A	B	C	D
Aide	Aident	Aidez	Aidons

(8) Ne ... pas votre grand-père.

A	B	C	D
dérangeons	dérange	dérangez	dérangent

(9) ... la vaisselle pour aider notre mère.

A	B	C	D
Faites	Faisons	Fais	Fait

LES DEUX MODES IMPERSONNELS

[I] LE MODE INFINITIF

[صيغة المصدر]

(1) Présent de l'Infinitif

(مضارع المصدر)

[I] Formation

[التكوين]

مضارع المصدر (Infinitif Présent) هو عبارة عن شكل الفعل الخام قبل تصريفه مثل:

Ex. Regarder – Remplir – Se promener - Répéter

** **Manger** et **boire** sont essentiels pour **vivre**.

Forme Négative	
ne pas / ne plus / ne jamais **+ infinitif**	Tu es malade, le mieux est de **ne pas sortir** !
ne + infinitif + personne	C'est dommage de **ne voir personne**.

[II] Utilisation

(1) L'infinitif s'utilise après:

(A) Aimer, préférer, détester …

> Ex. J'aime étudier les sciences informatiques!

(B) Les verbes modaux: devoir, falloir, pouvoir, savoir, vouloir.

> Ex. Vous savez bien chanter.

(C) Les verbes de mouvement: aller, venir, monter, descendre, sortir …

> Ex. Viens t'asseoir à côté de moi, on va faire un morceau ensemble.

(D) Les verbes de perception: entendre, écouter, voir, regarder, sentir …

> Ex. Je l'ai vu pleurer.

(E) Les verbes laisser et faire

> Ex. Mon professeur me fait répéter chaque jour.

(F) Des constructions impersonnelles: il est important que, c'est facile à …

> Ex. La traduction, c'est facile à étudier.

(G) Des prépositions: à, de, pour, sans, après, avant de …

> Ex. Avant de donner des concerts, j'ai enseigné le piano.

(2) في حالة إذا تعاقب فعلان في جملة لفاعل واحد، فإن الفعل الأول يصرف والثاني يأتي في المصدر.

Ex. Je préfère encourager l'équipe d'Al-ahly.

(3) أيضًا يمكن أن يحل مضارع المصدر محل صيغة الشك (Subjonctif).

Ex. Il est indispensable que l'on **applique** la démocratie.

** Il est indispensable d'**appliquer** la démocratie.

(4) أيضًا يمكن أن يحل مضارع المصدر محل الأمر (impératif).

Ex. **Lire** le passage et **répondre** aux questions suivantes.

** **Lisez** le passage et **répondez** aux questions suivantes.

(5) يأتي أيضًا مضارع المصدر بعد حرف الجر (préposition).

Ex. Faute à éviter – Interdit à fumer – Voiture à vendre

Ex. Nous cherchons à établir la sécurité.

(6) يعبر مضارع المصدر (Présent de l'infinitif) عن المستقبل القريب (Futur proche) إذا جاء بعد فعل (aller) المُصرف في زمن المضارع الإخباري Présent de l'indicatif.

Ex. Je vais partir. Nous allons manger. Vas-tu sortir?

(7) يعبر مضارع المصدر (Présent de l'infinitif) عن الماضي القريب (Passé récent) إذا جاء بعد (venir de) المُصرفة في زمن المضارع الإخباري.

Ex. Je viens de partir. Nous venons de sortir.

[III] Exercices sur l'infinitif

<u>Parmi ces choix, choisissez la réponse correcte.</u>

(1) Il me dit qu'il va ... une nouvelle voiture.

A	B	C	D
achète	achetait	achètera	acheter

(2) Mon père fait ... sa voiture chaque semaine.

A	B	C	D
lave	laver	lavait	lavera

(3) Est-ce que ton petit frère sait ... ?

A	B	C	D
compter	compte	comptait	comptera

(4) Il faut ... les grands.

A	B	C	D
respecte	respectera	respectons	respecter

(5) Les riches doivent ... les pauvres.

A	B	C	D
aidaient	aideront	aider	aident

(6) Mon grand-père a essayé de … à cheval.

A	B	C	D
monté	monte	monter	montait

(7) Il n'arrive pas à … ses problèmes.

A	B	C	D
résolu	résoudre	résolve	résout

(8) Il n'est pas content de … les fleurs fanées.

A	B	C	D
voyait	verra	voit	voir

(9) Les élèves ont commencé à … pour les examens finals.

A	B	C	D
prépareront	se préparer	préparent	préparé

(10) La maîtresse a demandé aux élèves de … la dictée trois fois.

A	B	C	D
copier	copient	copiant	copié

(11) Elle est habituée à … tôt.

A	B	C	D
s'est réveillée	se réveiller	se réveillant	se réveille

(12) Il a fini son discours par … le public.

A	B	C	D
remercié	avait remercié	remercier	remercie

(13) Il dort tôt pour … tôt.

A	B	C	D
se réveiller	se réveillera	s'est réveillé	se réveille

(14) Son problème c'est qu'il parle sans … .

A	B	C	D
réfléchisse	réfléchissait	réfléchi	réfléchir

(15) Mon grand-père prend son médicament avant … .

A	B	C	D
mangeait	de manger	mange	mangé

(16) Ils sont venus pour nous … .

A	B	C	D
aider	aidons	aident	aideront

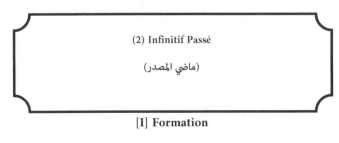

(2) Infinitif Passé

(ماضي المصدر)

[I] Formation

[التكوين]

Il est formé de l'auxiliaire [être] ou [avoir] au **présent de l'infinitif** plus le participe passé du verbe principal.

يتكون زمن ماضي المصدر من تصريف المساعد (avoir) أو (être) في مضارع المصدر (présent de l'infinitif) ثم إضافة اسم المفعول (participe passé) من الفعل المراد تصريفه.

Avoir	أو	Être	+	Le participe passé

Ex. Regarder : *avoir regardé*

Descendre : *être descendu*

Finir : *avoir fini*

Se promener : *s'être promené*

** Je prendrai ce médicament après ***être allée*** chez le docteur et lui ***avoir demandé*** son avis.

[II] Utilisation

[الاستخدام]

يأتي ماضي المصدر في حالة وجود حدثين متتابعين (deux actions consécutives) يكونـان مربـوطين بإحـدى الروابط الآتية:

(quand/lorsque/après que/dès que, aussitôt que) بحيث يكون فاعل الحدثين هو نفس الشخص.

Ex. Après *être resté* 15 minutes dans la réception, je rencontrais le directeur.

Ex. Après avoir terminé mes études je marie.

Après avoir terminé mes études je marierai.

Après avoir terminé mes études je marierais.

[III] [Remarques]

[ملاحظات]

(1) Le choix de l'auxiliaire et l'accord du participe passé suivent les mêmes règles que pour le passé composé et les temps composés.

Je déjeunerai après m'**être** douché(e).
Tes enfants, je suis contente de **les** avoir vus.

(2) L'infinitif passé marque une antériorité par rapport au temps de la phrase principale.

[IV] Exercices sur l'infinitif passé

(1) **Mettez à l'infinitif passé.**

Avant de se marier, il est important

(1) d'**avoir fait** [faire] des études.

(2) de … … … … (voyager).

(3) de … … … … (s'amuser).

(4) de … … … … (se faire) des amis.

(5) de … … … … (sortir).

(6) de … … … … (s'éloigner) de sa famille.

(7) de … … … … (vivre) seul.

(8) de … … … … (connaître) d'autres manières de vivre.

(9) de … … … … (essayer) plein de choses.

[II] LE MODE PARTICIPE

[صيغة اسم الفاعل واسم المفعول]

---

(1) Le Participe Présent

[اسم الفاعل]

[I] Formation

[التكوين]

يتكون اسم الفاعل (participe présent) من تصريف الفعل مع الـضمير (nous) في المـضارع الإخبـاري
(présent de l'indicatif) بعد حذف النهاية (ons) وإضافة النهاية (ant).

Infinitif	Indicatif présent	Participe présent
Regarder	Nous regardons	***Regardant***
Finir	Nous finissons	***finissant***
Manger	Nous mangeons	***Mangeant***
Annoncer	Nous annonçons	***Annonçant***

Être	étant
Avoir	ayant
Savoir	sachant

Remarque:

Le participe présent est une forme invariable.

Infinitif	Participe présent	Infinitif	Participe présent
Voir	*voyant*	Connaître	*connaissant*
Faire	*faisant*	Comprendre	*comprenant*
Savoir	*sachant*	Voyager	*voyageant*
Placer	*plaçant*	Réfléchir	*réfléchissant*
Être	*étant*	Interdire	*interdisant*
Avoir	*ayant*	Craindre	*craignant*
Réussir	*réussissant*	Fondre/Fonder	*fondant*
Prévoir	*prévoyant*	Miser	*misant*
Agir	*agissant*	Peigner/Peindre	*peignant*
Croire	*croyant*	Vivre	*vivant*
Lire	*lisant*	Tendre	*tendant*

[II] Utilisation

(1) Le participe présent est principalement utilisé à l'écrit pour remplacer une **relative** avec "qui".

يستعمل اسم الفاعل ليحل محل فعل مسبوق بضمير وصل.

Ex.

| Je regarde les élèves **qui écrivent** le devoir. | Je regarde les élèves *écrivant* le devoir. |
| Connais-tu des mots français **qui commencent** par "w"? | Connais-tu des mots français *commençant* par "w"? |

(2) Pour exprimer la cause.

يحل اسم الفاعل محل فعل الجملة التي تعبر عن سبب.

Ex.

Puisque tu es fatigué, reste chez toi.	Étant fatigué, reste chez toi.
Comme je suis malade, je ne sors pas.	Étant malade, je ne sors pas.
J'adopterai les décisions convenables lorsque j'aurai les avantages réels.	Ayant les avantages réels, j'adopterai les décisions convenables.

[III] Le Gérondif

Forme	Utilisation	Exemples
En + participe présent	Le gérondif peut exprimer: (1) la simultanéité (2) la manière (3) la condition	*1. Je l'ai rencontré **en entrant** dans le magasin* *2. Il fait ses courses **en courant**.* *3. **En dépensant** moins, je ferais des économies.*

(1) يستعمل اسم الفاعل مسبوقًا بـ (en) للتعبير عن وقوع حدثين في الوقت نفسه، سـواء وقعًا في الحـاضر أو
الماضي أو المستقبل.

Ex.

(1) Je fais mon travail en écoutant de la musique.

(2) J'ai fini mon devoir en parlant avec mon frère.

(3) Je passerai par Paris en partant au Canada.

(2) يستعمل أيضًا اسم الفاعل مسبوقًا بـ (en) للتعبير عن وسيلة أو طريقة وقوع الحدث.

Ex. Il marche à l'école en chantant.

Il se cultive en lisant.

Je rentre chez moi en prenant le bus.

[IV] Exercices sur le participe présent et le gérondif

Exercice (1) Complétez le tableau suivant.

Petites annonces

Recherchons	Recherchons
Un avocat *maîtrisant* (1) **(maîtriser)** parfaitement le droit des affaires, … … (2) **(justifier)** d'une expérience de cinq ans minimum dans ce domaine, … … (3) **(pouvoir)** se déplacer fréquemment à l'étranger et … … (4) **(savoir)** parler couramment l'italien. Pour ce poste … … (5) **(nécessiter)** de nombreux déplacements, le permis de conduire est indispensable.	Un interprète français-turc, … … (6) **(posséder)** une bonne connaissance de la Turquie, … … (7) **(connaître)** bien Istanbul et … … (8) **(avoir)** une expérience dans le secteur automobile. Poste … … (9) **(permettre)** une rapide évolution et … … **(s'adresser)** à des personnes … … (11) **(ne pas craindre)** les voyages fréquents.

Exercice (2) Parmi ces choix, choisissez la réponse correcte.

(1) Sa mère fait la vaisselle … .

A	B	C	D
chanter	en chantant	elle chante	chanté

(2) Il lit l'histoire en … .

A	B	C	D
ri	rit	riant	rire

(3) Elle a arrangé ses affaires … .

A	B	C	D
nettoyé sa chambre	elle nettoie sa chambre	en nettoyant sa chambre	nettoyer sa chambre

(4) Mon frère fait son devoir en … la télévision.

A	B	C	D
regardé	regardera	regarder	regardant

(5) Il a fâché son père … .

A	B	C	D
en fumant	fumer	il fume	il avait fumé

(6) La fille a cassé sa main en ... de la balançoire.

A	B	C	D
tomber	tombant	tombé	tombera

(7) ... plus fort, tu gagneras le match.

A	B	C	D
T'entraîner	Entraîné	Tu t'entraînes	En t'entraînant

(8) En ... bien, tu seras fort.

A	B	C	D
mangeant	manger	mangeras	mangé

(2) Le Participe Passé [Simple/Composé]

[اسم المفعول البسيط - المركب]

(I) Le Participe Passé Simple

[Formation]

[التكوين]

انظر شرح زمن الماضي المركب

....

[Utilisation]

[الاستعمال]

(1) يستخدم اسم المفعول البسيط في تكوين وصياغة كافة الأزمنة المركبة المتعارف عليها في اللغة الفرنسية ومنها:

Passé composé de l'indicatif
Plus-que-parfait de l'indicatif
Passé antérieur de l'indicatif
Futur antérieur de l'indicatif
Conditionnel Passé
Subjonctif Passé
Infinitif Passé

(2) يستعمل اسم المفعول البسيط وحده للدلالة على حدث في الحاضر أو الماضي أو المستقبل.

Ex.

Présent	Quand j'arrive à la gare, <u>je prends</u> le train.	_Arrivé_ à la gare, je _prends_ le train.
Passé	Quand je **suis arrivé** à la gare, <u>j'ai pris</u> le train.	_Arrivé_ à la gare, j'ai **pris** le train.
Futur	Quand j'**arriverai** à la gare, <u>je prendrai</u> le train.	_Arrivé_ à la gare, je _prendrai_ le train.

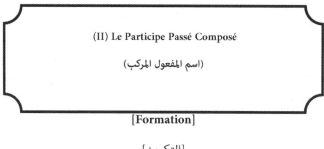

[Formation]

[التكوين]

Il est formé de l'auxiliaire [être] ou [avoir] au **participe présent** plus le participe passé du verbe principal.

يتكون اسم المفعول المركب (le participe passé composé) مـن تـصريف المـساعد (être) أو (avoir) في زمـن اسـم الفاعـل (participe présent) مـضافًا إليـه اسم المفعـول البـسيط (le participe passé simple) مـن الفعـل المطلوب تصريفه.

Infinitif	P. P. Composé	Infinitif	P. P. Composé	Infinitif	P. P. Composé
Regarder	*ayant regardé*	Sortir	*étant sorti*	Finir	*ayant fini*
Se promener	*s'étant promené*	Choisir	*ayant choisi*	Parler	*ayant parlé*

[Utilisation]

[الاستعمال]

يأتي اسم المفعول المركب ليحل محل فعل الجملة التابعة في حالة وجود جملتين أحدهما أساسية والأخرى تابعة والجملتين لهما نفس الفاعل.

Passé composé	Quand j'ai terminé mes études, je marie.	Ayant terminé mes études, je marie.
Plus-que-parfait	Quand j'avais terminé mes études, je marierais	Ayant terminé mes études, je marierais
Passé antérieur	Quand j'eus terminé mes études, je marie.	Ayant terminé mes études, je marie.
Futur antérieur	Quand j'aurai terminé mes études, je marierai.	Ayant terminé mes études, je marierai.

Accord du Participe Passé

[مطابقة اسم المفعول]

اسم المفعول المستعمل مقترنًا بفعل مساعد (avoir/être)	اسم المفعول المستعمل بدون فعل مساعد
** يأخذ تبعية **	
(1) اسـم المفعـول المـستعمل مـع (être) يتبـع الفاعل (le sujet) في النوع والعدد.	
Elles sont allées à l'école.	
Les portes sont fermées.	
(2) اسـم المفعـول المـستعمل مـع (avoir) يتبـع المفعول به المباشر (complément d'objet direct) إذا كان هذا المفعول به المباشر يقع قبله.	يعامـل معاملـة الـصفة وفي هـذه الحالـة فإنـه يتبـع الموصوف في النوع والعدد.
Les pommes de terre qui nous avons cuites sont mûres.	**Protestés** contre les élections, les manifestants ont fait la grève.
** لا يأخذ تبعية **	**Arrivées** à l'endroit de manifestation, les forces armées ont annoncé le cas d'urgence.
(1) إذا كان المفعول بـه المبـاشر واقعًـا بعـد اسـم المفعول فإنه لا يأخذ تبعية	
Nous avons cuit les pommes de terre.	
(2) إذا كان اسم المفعول المستعمل مع المساعد (avoir) ومتبوع بفعل في المصدر فإنه لا يأخذ تبعية.	
Voici les oiseaux que nous avons entendu chanter.	

Les adverbes

الظروف

L'adverbe (*ou la locution adverbiale*) est un terme qui modifie le sens du verbe, de l'adjectif ou d'un autre adverbe.

الظرف هو كلمة تُستعمل لتغيير معنى فعل أو صفة أو ظرف آخر.

Ex. Cet élève étudie **bien**.

Abdallah répond **fortement** à la question.

Il fait **très** chaud.

Hamed bavarde **sans cesse**.

On dit que les mots: (*bien, fortement, très*) sont des adverbes, mais (*sans cesse*) est une locution adverbiale.

On peut classer les adverbes et les locutions adverbiales selon le sens en:

يمكن تقسيم الظروف والتعبيرات الظرفية حسب المعنى إلى:

1- Adverbes de lieu   ظرف المكان

À droite	Dessous	Là-bas
À gauche	Dessus	Loin
Ailleurs	Devant	Où
Au milieu	En bas	Partout
Dedans	En haut	Près
Dehors	Ici	Y
Derrière	Là	

2- Adverbes de temps   ظرف الزمان

À présent	Demain	Quelque fois
Après	Enfin	Rarement
Après-demain	Ensuite	Sans cesse
Aujourd'hui	Hier	Soudain
Aussitôt	Immédiatement	Souvent
Autrefois	Jadis	Tard
Avant	Jamais	Tôt
Avant-hier	Longtemps	Toujours
Bientôt	Maintenant	Tout à l'heure
D'abord	Parfois	Tout de suite
De nouveau	Puis	

3- Adverbes de quantité   ظرف الكمية

À peine	Combien	Seulement
Assez	Davantage	Si
Aussi	Encore	Tant
Autant	Moins	Tout
Beaucoup	Pas du tout	Très
Bien	Peu	Trop

4- Adverbes de négation   ظرف النفي

non	ne … ni … ni	ne … plus
ne … pas	ne … point	pas du tout
ne … que	ne … jamais	nullement

5- Adverbes d'affirmation   ظرف التوكيد

Si	Certes	Sans doute
Oui	Certainement	

6- Adverbes de doute et de probabilité ظرف الشك والاحتمال

Peut-être, probablement… etc.

7- Adverbes d'interrogation ظرف الاستفهام

Où ?   Combien ?   Pourquoi ?

Quand ?   Comment ?

8- Adverbes d'exclamation ظرف التعجب

Comme !   Comment !   Combien ! (que)

9- Adverbes de manière ظرف الطريقة أو الوسيلة

Ainsi   Ensemble   Passablement

Bien   Exprès   Séparément

Comment   Mal   Suffisamment

Formation des adverbes de manière terminés par –ment

Pour former un adverbe de manière, on prend l'adjectif qualificatif, on le met au féminin et on ajoute la terminaison **ment**.

Adj. féminin + ment

لتكوين ظرف الطريقة adverbe de manière نأتي بالصفة النعتيـة في المؤنـث ثم نضيف إلى آخرهـا المقطع
ment

Ex.

Adj. masculin	Adj. féminin	Adverbe
Grand	Grande	Grandement
Petit	Petite	Petitement
Courageux	Courageuse	Courageusement
Nouveau	Nouvelle	Nouvellement

Exceptions: شواذ

1- الصفات المنتهية بـ ent/ ant لا تأخذ e في الصفة المؤنثة، وإنما يحذف t وتحول n إلى m.

Ex.

Bruyant	Bruyamment	Patient	Patiemment
Constant	Constamment	Pesant	Pesamment
Évident	Évidemment	Violent	Violemment

262

يُستثنى من القاعدة السابقة:

Lent - Lentement   Présent - Présentement

2-   بعض الصفات تأخذ accent aigu قبل النهاية ment

Énorme - Énormément   Précis - Précisément

Profond - Profondément

3-   الصفات المنتهية بـ : é, i, u لا تأخذ e قبل إضافة النهاية ment

Poli - Poliment   Absolu - Absolument

Vrai - Vraiment   Modéré - Modérément

لاحظ أن بعض الصفات تأخذ accent circonflexe قبل إضافة النهاية ment

Assidu - Assidûment   gai - Gaîment (ou gaiement)

Des locutions adverbiales: تعبيرات ظرفية

Les locutions adverbiales se composent de plus d'un mot.

يتكون التعبير الظرفي من أكثر من كلمة

Ex.

à peu près	تقريبًا	en même temps	في نفس الوقت
à présent	في الحال	peu à peu	قليلا قليلا
après demain	بعد غدٍ	sans doute	بلا شك
au-dessous	فوق	tout à coup	فجأة
au-dessus	أسفل	tout à fait	بالكامل
avant hier	أول أمس	tout au plus	على الأكثر
d'abord	أوّلًا	tout de suite	في الحال

Place de l'adverbe مكان الظرف

1- Quand l'adverbe modifie un adjectif ou un autre adverbe, il le précède.

عندما يغير الظرف معنى صفة أو ظرف آخر، فإنه يسبق هذا الظرف أو هذه الصفة.

Cet homme est très grand.
Elle est rentrée assez tard.

2- Quand l'adverbe modifie un verbe à un temps simple, il se place après ce verbe.

عندما يغير الظرف معنى فعل بسيط، فإن الظرف يوضع بعد الفعل.

> Mon grand-père se lève tôt.

3- Quand l'adverbe modifie un verbe à un temps composé, l'adverbe se trouve généralement entre l'auxiliaire et le participe passé en particulier les adverbes de quantité. Mais les adverbes de lieu sont toujours placés après le participe passé.

عندما يغير الظرف معنى فعل مركب، فإن الظرف يوضع عامة بين الفعل المساعد واسم المفعول وخاصة ظروف الكمية، ولكن ظرف المكان يأتي دائمًا بعد اسم المفعول.

> Elle m'a **souvent** parlé de son père.
>
> Ali a travaillé **ici** pour deux semaines.

Ainsi, on peut dire :

Cet élève a longuement étudié. **Ou** Cet élève a étudié longuement.

****

Exercices sur l'adverbe

(1) **Trouvez les adverbes des adjectifs suivants, en mettant chacun dans une phrase complète:**

- premier   - fréquent

- attentif   - méchant

- fidèle   - constant

- récent   - étourdi

- patient   - hardi

- prétendu   - absolu

(2) **Faites une phrase avec chacun des adverbes suivants:**

- hier   - mal

- près   - certainement

- jamais   - certes

- peu   - beaucoup

- ici   - oui

- aujourd'hui   - autrefois

(3) Complétez les phrases suivantes par l'adjectif ou l'adverbe selon le cas:

Exemple: -

confortable	confortablement

Cette chaise ancienne n'est pas confortable.

Il était confortablement installé dans un fauteuil et lisait le journal.

(1)	- lent	lentement

Le vieillard marchait à pas ….

Le vieillard marchait ….

(2)	- sec	sèchement

L'élève a répondu d'un ton ….

L'élève a répondu ….

(3)	- rapide	rapidement

On déjeunera …. avant d'aller au club.

Il marche dans la rue à pas ….

(4)	- objectif	objectivement

Le journaliste a présenté un rapport très …. de l'accident.

Le journaliste a présenté les faits très ….

(5)	- bref	brièvement

Résumez …. cette leçon.

Il a fait un résumé très …. de cet article.

LA VOIX ACTIVE ET LA VOIX PASSIVE

[المبني للمعلوم والمبني للمجهول]

[I] DÉFINITION

[التعريف]

Voix du Verbe

Il y a trois voix du verbe:

(1) La voix active

(2) La voix passive

(3) La voix pronominale

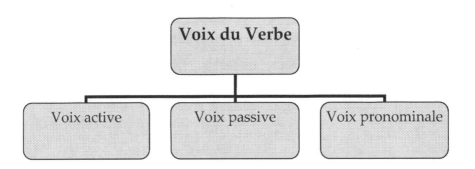

(1) **La voix active** *est une phrase où le sujet lui-même fait l'action.*

صيغة المبني للمعلوم هي الصيغة التي يؤدي فيها الفاعل الفعل بنفسه.

Ex. : Le professeur explique la leçon.

المدرس يشرح الدرس.

Le verbe (*explique*) est à la voix active parce que le professeur lui-même fait l'action.

Ex. : Le chauffeur conduit la voiture.

السائق يقود السيارة

Le verbe (*conduire*) est à la voix active parce que le chauffeur lui-même fait l'action.

(2) **La voix passive** *est une phrase dans laquelle le sujet subit l'action ou le complément direct de la phrase fait l'action qui était faite par le sujet dans la voix active.*

صيغة المجهول: هي الصيغة التي يؤدي فيها المفعول المباشر الفعل.

N.B. Les verbes qui ne peuvent pas avoir de complément d'objet direct, n'ont pas de forme passive.

Ex. : La leçon **est expliquée** par le professeur.

Ex. : La voiture **est conduite** par le chauffeur.

(3) **La voix pronominale**

Le verbe est à la voix pronominale quand il est employé avec un pronom personnel qui représente le sujet:

Ex. *Mon frère **se regarde** dans la glace.*

[II] FORMATION

[التكوين]

Pour transformer une phrase de la voix active à la voix passive, on suit les règles suivantes:

لتحويل الجملة من المبني للمعلوم إلى المبني للمجهول يتعين علينا اتباع القواعد الآتية:

(1) Le complément direct dans la phrase (*à la voix active*) devient à la place du sujet au début de la nouvelle phrase (*à la voix passive*).

المفعول المُباشر في الجملة المبنية للمعلوم يُوضع مكان الفاعل في الجملة المبنية للمجهول.

Sujet	Verbe au présent de l'indicatif	Complément direct
Le professeur	explique	la leçon.
Le chauffeur	conduit	la voiture.
Le directeur	dirige	l'entreprise.
Les élèves	aiment	le professeur.
Le directeur	respecte	les meilleurs ouvriers.

(2) On conjugue (*v. être*) au même temps que le verbe de la phrase à la voix active (*présent de l'indicatif dans l'exemple*).

نقوم بتصريف فعل (être) في نفس زمن فعل الجملة المبنية للمعلوم.

(3) On met le verbe de la phrase (*à la voix active*) [*expliquer, conduire, diriger, aimer, respecter*] au participe passé.

نقوم بوضع فعل الجملة المبنية للمعلوم في اسم المفعول.

(4) On fait l'accord convenable **en genre** et **en nombre** avec le participe passé car il est précédé par le verbe être. C'est-à-dire que le participe passé s'accorde avec le sujet du verbe.

نلحق اسم المفعول بالتبعية المناسبة في النوع والعدد (التأنيث والتذكير، الإفراد والجمع).

(5) La forme passive peut-être suivie de la préposition **(par)** et parfois **(de)** devant le complément d'agent qui est le sujet de la phrase à la voix active [*le professeur, le chauffeur, le directeur, les élèves*].

Ex. : *L'immeuble a été détruit **par** une explosion.*

(1)	(2)	(3)	(4)	(5) Complément d'agent
La leçon	est	expliqué	e	**par** le professeur.
La voiture	est	conduit	e	**par** le chauffeur.
L'entreprise	est	dirigé	e	**par** le directeur.
Le professeur	est	aimé	-	**des** élèves.
Les meilleurs ouvriers	sont	respecté	s	**du** directeur.

[III] Remarques

[ملاحظات]

(1) Si le sujet de la phrase à *la voix active* est un pronom impersonnel (**on**), on le supprime dans la phrase à *la voix passive*.

إذا كان الفاعل في الجملة المبنية للمعلوم هو الضمير غير الشخصي (on) نقوم بحذفه في الجملة المبنية للمجهول.

V. active	On produit les vêtements en Égypte.
V. passive	*Les vêtements sont produits en Égypte.*
V. active	**On suit le code de la route en Égypte.**
V. passive	*Le code de la route est suivi en Égypte.*

(2) Si le sujet de la phrase est un pronom personnel, on suit le tableau suivant:

Je	par moi	Je regarde la photo.	La photo est regardée **par moi.**
Tu	par toi	Tu regardes la photo.	La photo est regardée **par toi.**
Il	par lui	Il regarde la photo.	La photo est regardée **par lui.**
Elle	par elle	Elle regarde la photo.	La photo est regardée **par elle.**

Nous	par nous	Nous regardons la photo.	La photo est regardée **par nous.**
Vous	par vous	Vous regardez la photo.	La photo est regardée **par vous.**
Ils	par eux	Ils regardent la photo.	La photo est regardée **par eux.**
Elles	par elles	Elles regardent la photo.	La photo est regardée **par elles.**

(3) Si le complément direct de la phrase est un pronom personnel complément, on suit le tableau suivant:

Voix Active	*Voix Passive*
Youssef **me** regarde	Je suis regardé par Youssef.
Youssef **te** regarde	Tu es regardé par Youssef.
Youssef **le** regarde	Il est regardé par Youssef.
Youssef **la** regarde	Elle est regardée par Youssef.
Youssef **nous** regarde	Nous sommes regardés par Youssef.
Youssef **vous** regarde	Vous êtes regardés par Youssef.
Youssef **les** regarde	Ils sont regardés par Youssef.
Youssef **les** regarde	Elles sont regardées par Youssef.

(4) La forme pronominale peut prendre le sens passif.

Formation	Exemples
Sujet inanimé à la troisième personne + verbe pronominal	1. Ce genre de robe **se porte** en toutes occasions. 2. Ce type de tissu, ça **se voit** surtout dans les pays chauds. 3. Ce mot ne **se dit** pas en public. 4. Ces poèmes **s'écrivent** en alexandrins. 5. Cette langue ne **se parle** plus. 6. Ce film doit **se voir** sur un grand écran. 7. C'est le genre de roman qui **se relit** plusieurs fois.
Sujet animé + se faire + infinitif	1. Ne mets pas ton portefeuille dans ta poche, tu risques de **te le faire voler**!

2. Marie **s'est fait acheter** un collier en or.

3. Il **s'est fait nommer** directeur de l'association.

4. Elle vient de **se faire désigner** secrétaire générale.

5. Je **me ferai élire** député.

6. Ils **se sont fait dénoncer** par leurs adversaires.

7. Tu viens de **te faire licencier**.

(5) Exemples généraux

Voix Active	Voix Passive
Le professeur explique la leçon. (*présent*)	La leçon **est expliquée** par le professeur.
Le professeur explique les leçons. (*présent*)	Les leçons **sont expliquées** par le professeur.
Le professeur a expliqué la leçon. (*passé composé*)	La leçon **a été expliquée** par le professeur.
Le professeur a expliqué les leçons. (*passé composé*)	Les leçons **ont été expliquées** par le professeur.
Le professeur expliquait la leçon. (*Imparfait*)	La leçon **était expliquée** par le professeur.
Le professeur expliquait les leçons. (*Imparfait*)	Les leçons **étaient expliquées** par le professeur.
Le professeur avait expliqué la leçon. (*Plus-que-parfait*)	La leçon **avait été expliquée** par le professeur.
Le professeur avait expliqué les leçons. (*Plus-que-parfait*)	Les leçons **avaient été expliquées** par le professeur.

Le professeur expliquera la leçon. (*Futur Simple*)	La leçon **sera expliquée** par le professeur.
Le professeur expliquera les leçons. (*Futur Simple*)	Les leçons **seront expliquées** par le professeur.
Le professeur va expliquer la leçon. (*Futur proche*)	La leçon **va être expliquée** par le professeur.
Le professeur va expliquer les leçons. (*Futur proche*)	Les leçons **vont être expliquée** par le professeur.

Voix Active	Voix Passive
J'ai lu la lettre que tu m'as écrite.	J'ai lu la lettre qui m'a été écrite par toi.
Ali accueillera Jacques à l'aéroport du Caire.	Jacques sera accueilli par Ali à l'aéroport du Caire.
Il a montré les cadeaux que ses amis lui ont offerts.	Il a montré les cadeaux que lui été offerts par ses amis.
Le ministre de la culture inaugure le festival du cinéma.	Le festival du cinéma est inauguré par le ministre de la culture.
La télé a-t-elle diffusé le match?	Le matche a-t-il été diffusé par le télé?
On a donné des habits aux pauvres.	Des habits aux pauvres ont été donnés.
Qui annonce les nouvelles?	Par qui les nouvelles sont-elles annoncées?
Vous avez mangé les fruits de votre jardin.	Les fruits de votre jardin ont été mangés par vous.
C'est mon ami français qui écrira la lettre.	C'est par mon ami français que la lettre sera écrite.
Voici le roman que j'ai lu.	Voici le roman qui a été lu par moi.
Qui a construit ce château?	Par qui a été construit ce château?
On va rénover cette maison.	Cette maison va être rénovée.
Un coup de tonnerre m'a réveillé en pleine nuit.	J'ai été réveillé par un coup de tonnerre en pleine nuit.

[IV] Exercices sur l'actif et le passif

Parmi ces choix, choisissez la réponse correcte.

(1) Il finira ses examens dans une semaine.

a	Dans une semaine sera fini ses examens.
b	Ses examens seront finis dans une semaine.
c	Il sera fini ses examens dans une semaine.
d	Ses examens auront fini dans une semaine.

(2) J'ai préparé mon cartable pour demain.

a	Mon cartable a préparé pour demain.
b	J'ai été préparé mon cartable pour demain
c	Mon cartable a été préparé pour demain.
d	Mon cartable avait préparé pour demain.

(3) Le mécanicien répare ma voiture.

a	Ma voiture est réparée.
b	Ma voiture sera réparée.
c	Ma voiture a été réparée.
d	Ma voiture était réparée.

(4) Elle ne lave pas cette blouse avec de l'eau chaude.

a	Cette blouse n'a pas été lavée avec de l'eau chaude.
b	Cette blouse n'était pas lavée avec de l'eau chaude.
c	Cette blouse n'est pas lavée avec de l'eau chaude.
d	Cette blouse ne sera pas lavée avec de l'eau chaude.

(5) Elle pèle les pommes pour faire le gâteau.

a	Les pommes auront pelé pour faire le gâteau.
b	Les pommes sont pelées pour faire le gâteau.
c	Les pommes ont été pelées pour faire le gâteau.
d	Les pommes seront pelées pour faire le gâteau.

(6) La maîtresse efface le tableau pour écrire.

a	Le tableau est effacé pour écrire.
b	Le tableau était effacé pour écrire.
c	Le tableau sera effacé pour écrire.
d	Le tableau a été effacé pour écrire.

(7) Le jardinier a arrosé les fleurs.

a	Les fleurs sont arrosées.
b	Les fleurs seront arrosées.
c	Les fleurs ont été arrosées.
d	Les fleurs étaient arrosées.

(8) Il n'a pas invité ses amis à son mariage.

a	Ses amis ne sont pas invités à son mariage.
b	Ses amis n'étaient pas invités à son mariage.
c	Ses amis ne seront pas invités à son mariage.
d	Ses amis n'ont pas été invités à son mariage.

(9) L'enfant a trouvé un ballon dans le jardin.

a	Un ballon a été trouvé dans le jardin.
b	Un ballon était trouvé dans le jardin.
c	Un ballon est trouvé dans le jardin.
d	Un ballon sera trouvé dans le jardin.

(10) La mère a emmené le bébé chez le docteur.

a	Le bébé est emmené chez le docteur.
b	Le bébé a été emmené chez le docteur.
c	Le bébé sera emmené chez le docteur.
d	Le bébé fut emmené chez le docteur.

(11) Il collectionnait des timbres.

a	Des timbres ont été collectionnés.
b	Des timbres étaient collectionnés.
c	Des timbres seront collectionnés.
d	Des timbres sont collectionnés.

(12) **Le témoin disait la vérité.**

a	La vérité sera dite.
b	La vérité fut dite.
c	La vérité était dite.
d	La vérité est dite.

(13) **La speakerine présentait le programme en riant.**

a	Le programme fut présenté en riant.
b	Le programme sera présenté en riant.
c	Le programme est présenté en riant.
d	Le programme était présenté en riant.

(14) **J'arrosais les plantes.**

a	Les plantes seront arrosées.
b	Les plantes étaient arrosées.
c	Les plantes furent arrosées.
d	Les plantes sont arrosées.

(15) **Nos voisins quitteront leur maison.**

a	La maison sera quittée.
b	La maison est quittée.
c	La maison a été quittée.
d	La maison était quittée.

(16) Ils attendront mes parents au dîner.

a	Mes parents ont été attendus au dîner.
b	Mes parents sont attendus au dîner.
c	Mes parents seront attendus au dîner.
d	Mes parents étaient attendus au dîner.

(17) Cette histoire ennuiera tout le monde.

a	Tout le monde a été ennuyé par cette histoire.
b	Tout le monde était ennuyé par cette histoire.
c	Tout le monde est ennuyé par cette histoire.
d	Tout le monde sera ennuyé par cette histoire.

(18) Son grand-père annoncera la nouvelle.

a	La nouvelle sera annoncée par son grand-père.
b	La nouvelle est annoncée par son grand-père.
c	La nouvelle était annoncée par son grand-père.
d	La nouvelle a été annoncée par son grand-père.

(19) Les restaurants sont fréquentés par les familles. Les familles ... les restaurants.

a	b	c	d
ont fréquenté	fréquentaient	fréquenteront	fréquentent

(20) Ce théâtre a été construit par les Romains. Les Romains ... ce théâtre.

a	b	c	d
étaient	construiront	ont construit	construisaient

(21) L'usine sera ouverte par les propriétaires. Les propriétaires ... l'usine.

a	b	c	d
ouvrent	ouvriront	ont ouvert	ouvraient

(22) Les oiseaux sont tués par le chasseur.

a	Le chasseur tuait les oiseaux.
b	Le chasseur a tué les oiseaux.
c	Le chasseur tue les oiseaux.
d	Le chasseur tuera les oiseaux.

(23) Les plantes sont arrosées par la pluie.

a	La pluie a arrosé les plantes.
b	La pluie arrose les plantes.
c	La pluie arrosa les plantes.
d	La pluie arrosait les plantes.

(24) Les trois quarts de la terre sont occupés par les eaux.

a	Les eaux occupent les trois quarts de la terre.
b	Les eaux occupaient les trois quarts de la terre.
c	Les eaux ont occupé les trois quarts de la terre.
d	Les eaux occupèrent les trois quarts de la terre.

(25) La promenade a été interrompue par la pluie.

a	La pluie interrompait la promenade.
b	La pluie interrompra la promenade.
c	La pluie interrompit la promenade.
d	La pluie a interrompu la promenade.

(26) Nos voitures ont été arrêtées par la police.

a	La police arrêtait nos voitures.
b	La police arrêta nos voitures.
c	La police a arrêté nos voitures.
d	La police arrête nos voitures.

(27) Vous avez été appelés par votre mère.

a	Votre mère vous appela.
b	Votre mère vous appellera.
c	Votre mère vous a appelés.
d	Votre mère vous appelle.

(28) Ce village était habité par mes grands-parents.

a	Mes grands-parents habitaient ce village.
b	Mes grands-parents habitent ce village.
c	Mes grands-parents ont habité ce village.
d	Mes grands-parents habitèrent ce village.

(29) Les malades étaient soignés par les médecins.

a	Les médecins ont soigné les malades.
b	Les médecins soignaient les malades.
c	Les médecins soigneront les malades.
d	Les médecins soignent les malades.

(30) Les instructions étaient données par le directeur.

a	Le directeur donnera les instructions.
b	Le directeur donna les instructions.
c	Le directeur donne les instructions.
d	Le directeur donnait les instructions.

(31) Ce morceau de musique fut composé par un grand compositeur.

a	Un grand compositeur composera ce morceau de musique.
b	Un grand compositeur composa ce morceau de musique.
c	Un grand compositeur compose ce morceau de musique.
d	Un grand compositeur a composé ce morceau de musique.

(32) Nous fûmes libérés par les braves de notre pays.

a	Les braves de notre pays nous ont libérés.
b	Les braves de notre pays nous libéreront.
c	Les braves de notre pays nous libérèrent.
d	Les braves de notre pays nous libèrent.

(33) La dame fut aidée par l'agent de police.

a	L'agent de police aida la dame.
b	L'agent de police aidera la dame.
c	L'agent de police aidé la dame.
d	L'agent de police aide la dame.

(34) Les lettres seront distribuées par le facteur.

a	Le facteur distribuera les lettres.
b	Le facteur distribue les lettres.
c	Le facteur distribua les lettres.
d	Le facteur a distribué les lettres.

(35) Elles seront attristées par la nouvelle de sa mort.

a	La nouvelle de sa mort les attriste.
b	La nouvelle de sa mort les attristera.
c	La nouvelle de sa mort les attristait.
d	La nouvelle de sa mort les attrista.

(36) **Ce tapis sera admiré par tout le monde.**

a	Tout le monde a admiré ce tapis.
b	Tout le monde admire ce tapis.
c	Tout le monde admira ce tapis.
d	Tout le monde admirera ce tapis.

(37) **Choisissez la phrase qui donne le sens passif:**

a	Ils ont imposé le couvre-feu.
b	On a imposé le couvre-feu.
c	Les soldats ont imposé le couvre-feu.
d	Il a imposé le couvre-feu.

(38) **Choisissez la phrase qui donne le sens passif:**

a	Tout le monde se lave les mains avant de manger.
b	Mon frère se lave avec d l'eau chaude.
c	Elle se lave les mains.
d	Cette robe se lave avec de l'eau froide.

(39) **Choisissez la phrase qui donne le sens passif:**

a	Ce jus se boit frais.
b	Ce jus boit frais.
c	Il boit ce jus frais.
d	Tout le monde boit ce jus frais.

Le style direct et indirect

الأسلوب المباشر وغير المباشر

Le discours rapporté redit d'un style indirect ce que quelqu'un a dit. Le style direct se met toujours entre deux guillemets " .... " précédé par deux points verticaux (:)

الأسلوب المباشر هو حديث لأحد الأشخاص ودائمًا يوضع بين قوسين "..." ومسبوقًا بنقطتين (:)

Ex. La fille dit à sa mère : "je veux manger."

Pour transformer un *style direct* en *style indirect* on doit faire attention à:

1) Supprimer les guillemets et les deux points.

2) Changer les pronoms personnels (*sujets ou compléments*) et les adjectifs possessifs.

للتحويل من الأسلوب المباشر إلى الأسلوب غير المباشر يراعى الآتي:

1) حذف القوسين والنقطتين.

2) تغيير الضمائر الشخصية وصفات الملكية.

Types des phrases rapportées

أنواع الجمل

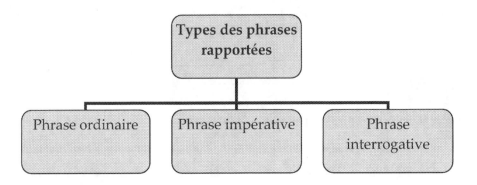

1. __Une phrase ordinaire__ ou qui donne une information, alors on utilise [que] pour la rapporter.

1- لربط الجمل العادية (الإخبارية) نستخدم que بمعنى (أنّ)

Il dit: "Il fait chaud."	- Il dit **qu'**il fait chaud.

2. __Une phrase impérative__, alors on utilise [de] pour la rapporter. Le verbe après (de) est au infinitif.

2- لربط الجمل الأمرية نستخدم de والفعل بعد de يكون في المصدر.

Il lui demande: "aide ton frère."	- Il lui demande d'aider son frère.

Si le verbe est à l'impératif à la forme négative, on met **de** ensuite les mots de la négation et en fin le verbe à l'infinitif.

في الأمر المنفي نربط بـ de ثم نكتب أداة النفي ثم المصدر.

Le père dit à son fils: "ne joue dans la rue."	- Le père **ordonne** son fils **de ne pas jouer** dans la rue.

لاحظ: عند التحول من الحديث المباشر إلى الحديث غير المباشر في الجمل الأمرية يتحول فعل القول dire إلى فعل الأمر ordonner أو donner un ordre

3- **Une phrase interrogative**, alors on utilise:

(A) Si

[Si] utilisé quand l'interrogation est exprimée par [est-ce que], l'inversion du sujet ou la phrase simple avec un point d'interrogation.

في الجملة الاستفهامية نربط بـ si إذا كان الاستفهام بـ est-ce que أو بتقديم الفعل على الفاعل أو كان الاستفهام بجملة خبرية بسيطة بنغمة سؤال، وتنتهي بعلامة استفهام.

Il demande: "Est-ce que tu aimes danser?"	- Il demande **si** j'aime danser.
Elle demande: "Parlez-vous français?"	- Elle demande **si** nous parlons français.
Nous demandons: "Il va à l'école?"	-Nous demandons s'il va à l'école.

(B) Ce que

[**Ce que**] utilisé quand l'interrogation est exprimée par [*que*] ou [*qu'est-ce que*].

نربط بـ ce que إذا كان الاستفهام بـ que أو qu'est-ce que

Il demande: "Qu'est-ce que tu aimes boire?"	- Il demande **ce que** j'aime boire.

(C) Les mêmes mots d'interrogation restent au discours rapportés: où, qui, quand, comment….

نربط بنفس كلمة الاستفهام المستخدمة في الحديث غير المباشر ....

Il demande: "Où vas-tu?"	- Il demande **où** je vais.
Elle demande: "Quand partira-t-il?"	- Elle demande **quand** il partira.

Construction du discours rapporté

تركيب الجملة في الحديث غير المباشر

1. Si le verbe introducteur est au présent, le temps du verbe principal reste le même.

إذا كان الفعل التقديمي في المضارع، فإن الفعل الأساسي (في الجملة الثانية) يبقى كما هو.

| Il dit: "J'étais fatigué." | - **Il dit** qu'il était fatigué. |

2. Si le verbe introducteur est [au passé], le temps du verbe principal se change:

إذا كان الفعل التقديمي في الماضي، فإن زمن الفعل الأساسي يتغير:

A	*Présent* devient *imparfait* المضارع يتحول إلى الماضي المستمر	Il a dit: "Je **dors** à 8h."	-Il a dit qu'il **dormait** à 8h.
B	*Futur* devient *conditionnel* المستقبل يتحول إلى صيغة الشرط	Il a dit: "Nous **irons** au cinéma."	-Il a dit qu'ils **iraient** au cinéma.
C	*Passé composé* devient *plus-que-parfait* الماضي المركب يتحول إلى الماضي الأسبق	Elle disait: "J'**ai eu** un accident."	-Elle disait qu'elle **avait eu** un accident.
D	*L'imparfait* et le *conditionnel* ne se changent pas. الماضي المستمر وصيغة الشرط لا يتغيرا	Elle a répété: "Il **étudiait** en marchant." Il a insisté: "Il **ferait** beau."	-Elle a répété qu'il **étudiait** en marchant. -Il a insisté qu'il **ferait** beau.

Quelques changements

بعض التغييرات

Style direct	Style indirect
Aujourd'hui	Ce jour là
Après-demain	Le surlendemain
Avant-hier	L'avant-veille
Ce mois-ci	Ce mois-là
Cette année	Cette année-là
Cette semaine	Cette semaine-là
Dans 5 ans	5 ans après, plus tard
Demain	Le lendemain
Hier	La veille
Ici	Là
L'année prochaine	L'année suivante, d'après
Le mois dernier	Le mois précédent, d'avant
Maintenant	À ce moment là

Il dit. "J'ai parlé avec elle hier."

- Il dit qu'il a parlé avec elle la veille.

Fait attention

يراعى التغييرات الآتية:

Style direct	Style indirect	Style direct	Style indirect
Je – tu	Il – elle	Moi – toi	Lui – elle
Mon – ton	Son	Ma – ta	Sa
Nous – vous	Ils – elles	Nous – vous	Eux – elles
Notre – votre	Leur	Mes – tes	Ses
Nos – vos	Leurs		

Exercices sur le discours direct et le discours indirect

(1) <u>Transformez vers le discours indirect:</u>

1- Il me dit: "aide ton frère."

2- Mon frère dit: "Nous partirons demain."

3- Il leur dit: "Écoutez-moi!"

4- "Est-ce qu'il dit la vérité?" elle se demande.

5- Ma mère demande: "As-tu fini ton repas?"

6- Elle demande: "A-t-il faim?"

7- Il demande: "Que faites-vous?"

(2) <u>Transformez vers le discours indirect:</u>

1- Elle me demande: "Comment partirons-nous d'ici?"

2- Sa mère lui demande: "Qui a cassé la fenêtre?"

3- "Je suis en vacances." nous dit-elle

4- L'élève a dit: "Il n'y a personne dans la classe."

5- Il m'a demandé: "Que sais-tu de cette histoire?"

6- Il dit: "Elle a raison."

7- Il t'a demandé: "Pourquoi tu descendais l'escalier en courant?"

Les Prépositions

[حروف الجر]

[I] Définition

[تعريف]

La préposition unit un mot et son complément. Elle sert de lien entre des mots (*entre un verbe et un nom, entre 2 noms, entre 2 verbes*).

Nous sommes **en** classe.
Écrivez **sur** votre cahier.
Il se promène **autour de** la maison.

Les mots : *en, sur* sont des prépositions.

Autour de est une locution prépositive.

[II] Emploi

[الاستخدام]

Les prépositions introduisent des compléments de nom, d'adjectif, de verbe.

Voici le livre *de* mon voisin. L'abricot est un fruit *à* noyau.	*devant un compl. de nom.*
Je suis content *de* cet élève. Soyez bon *pour* les animaux.	*devant un compl. d'adjectif.*
Abdallah écrit *à* son père. Je parle *de* vous.	*devant un compl. de verbe.*

Les prépositions sont nombreuses. Les principales sont:

À	في، على، إلى	Entre	بين
Hors de	خارج	Après	بعد
Jusque	حتى	Avant	قبل
Malgré	بالرغم من	Avec	مع
Par	بواسطة، من، بـ	Chez	عند، لدى
Parmi	من بين/ ضمن	Contre	مقابل، ضد، على
Pendant	أثناء، خلال	Dans	في
Pour	لكي، لأجل	De	من، عن، منذ
Sans	بدون	Depuis	منذ، من
Sous	تحت	Derrière	خلف
Sur	على	Dès	منذ
Vers	نحو	Devant	أمام
Voici	ها هو، ها هي (للقريب)	Durant	أثناء
Voilà	ها هو، ها هي (للبعيد)	En	في، بـ من، كـ

À	De
(À) est une préposition qui indique :	(De) est une préposition qui indique :
(1) **L'heure** ** *Je viens à quatre heures.*	(1) **L'agent** ** *Le ciel est couvert de nuages.* ** *La pièce est remplie de fumée.*
(2) **Le lieu** où l'on est, où l'on va (pour une ville ou une petite île) ** *Je suis à Paris. Je vais à Paris.*	(2) **L'origine** ** *J'arrive de Paris.* ** *L'avion de Tokyo.*
(3) **Le complément d'objet indirect** ** *Je le donne à Henri.*	(3) **La matière** ** *Un foulard de soie.* ** *Un pot de terre.*
(4) **La manière** ** *à pied, à cheval, à bicyclette, à vélomoteur, à moto*	(4) **La manière** ** *Il s'exprime d'une drôle de façon.* ** *Il marche d'un pas fatigué.*
(5) **L'utilisation d'un objet** ** *Une machine à laver, un fer à repasser*	(5) **La cause** ** *Je tombe de sommeil.* ** *Je meurs de soif.*
(6) **La caractéristique** ** *La femme à l'écharpe rouge.*	(6) **Le contenu** ** *Une bouteille de vin.* ** *Une boîte de bonbons.*
(7) **Le prix** ** *Des pommes à 10 F le kilo.*	(7) **Le prix** ** *Une voiture de 50 000 F.* ** *Un sac de 500 F.*

(8) La **saison** seulement pour le printemps ** *Je viendrai au printemps.*	(8) Dans un **mot composé** ** *Une femme de ménage.* ** *Une poignée de porte.*
(9) La **possession** ** *Ce livre est à moi = ce livre m'appartient.*	(9) La **possession** ** *Le journal de mon père.* ** *Les enfants de nos voisins.*
(10) **Après certains adjectifs:** agréable, beau, bon, difficile, facile, intéressant, léger, long, lourd, triste, vilain ** *Ce travail est facile à faire.*	(10) **Après certains adjectifs** ** *Il est facile de se perdre dans ces rues.* ** *C'est difficile de le comprendre.* ** *Ça paraît bon de se reposer après tant de travail.*

Les prépositions marquent des rapports variés:

Lieu	Temps	Manière	Moyen	Cause	etc....

(1) Rapport de lieu

Allez __à__ votre place.

(2) Rapport de temps

Nous sortirons __à__ midi.

(3) Rapport de manière

Ce matin, je suis venu __à__ pied.

(4) Rapport de cause

Nous ne sortirons pas __à__ cause de la chaleur.

(5) Rapport de but

Nous travaillons pour réussir.

ويوجد أيضًا بجوار حروف الجر ما يسمى بالتعبيرات الجارية (locutions prépositives) والتي تتكون من كلمتين أو أكثر وهي تقوم مقام حرف الجر ومنها:

à cause de	بسبب	au milieu de	في منتصف، وسط
à côté de	بجانب	le long de	على طول
au lieu de	بدلا من	à travers	من خلال، عبر
au-dessous de	تحت	au-dessus de	فوق
en face de	أمام، مواجهة لـ	autour de	حول
grâce à	بفضل	afin de	لكي
loin de	بعيد عن	près de	قريب من
quant à	بالنسبة لـ أما عن	hors de	خارج عن
vis-à-vis de	أمام، تجاه	jusqu'à	حتى، إلى، لغاية

[III] Exercices sur Les Prépositions

[A] Parmi ces choix, choisissez la réponse correcte.

(1) Elle est venue faire ses études ... Paris.

a	b	c	d
en	à	dans	chez

(2) Nos amis habitent ... Algérie.

a	b	c	d
en	à	dans	chez

(3) Choisissez la phrase correcte:

a	Le grand festival aura lieu dans Amman.
b	Le grand festival aura lieu en Amman.
c	Le grand festival aura lieu à Amman.
d	Le grand festival aura lieu sur Amman.

(4) Choisissez la phrase correcte:

a	Son père a passé son enfance à Allemagne.
b	Son père a passé son enfance dans Allemagne.
c	Son père a passé son enfance chez Allemagne.
d	Son père a passé son enfance en Allemagne.

(5) Son cartable est ... la chaise.

a	b	c	d
avant	pendant	derrière	depuis

(6) Il a écrit ce poème ... sa maladie.

a	b	c	d
par	devant	sur	pendant

(7) Je partirai pour le Caire ... une semaine.

a	b	c	d
avec	vers	dans	sans

(8) Tous mes élèves travaillent ... joie.

a	b	c	d
à	dans	après	avec

(9) Il a passé la nuit en prison parce qu'il conduisait ... permis.

a	b	c	d
à	sans	dans	pour

(10) Envoyez cette lettre ... avion.

a	b	c	d
par	avec	sans	contre

(11) Il a acheté une machine à coudre … sa femme.

a	b	c	d
envers	par	pour	de

(12) Le TGV va de Paris à Lyon … deux heures.

a	b	c	d
depuis	en	il y a	pour

(B) Complétez les phrases suivantes par la préposition (à) ou (de).

(1) Quel mois de juin! Il ne cesse … pleuvoir.

(2) J'ai trop d'affaires ; je n'arrive pas … fermer ma valise.

(3) Je ne sais pas s'il acceptera ou s'il refusera … venir avec nous.

(4) Tâchez … venir dîner! Cela nous ferait plaisir.

(6) Mon frère hésite … accepter ce poste à l'étranger.

(7) L'enfant s'amusait … faire des découpages.

(8) Nous avons convenu … nous retrouver place Saint-Michel samedi soir.

(9) Dépêche-toi … finir ton travail!

(10) C'est son père qui lui a appris … conduire.

(C) Compléter les phrases suivantes par la préposition qui convient :

(1) Ce garçon est toujours très satisfait … ce qu'il fait.

(2) Les oranges sont riches … vitamine C.

(3) Chacun est responsable … ses actes.

(4) Pense … fermer les volets avant de partir.

(5) Quand on est loin de son pays, on pense … sa famille et … ses amis.

(6) Que penses-tu … ma nouvelle robe.

(7) Je suis fatigué … te répéter toujours la même chose.

(8) Paul est très content … son séjour à Londres.

(9) Je suis désolé … vous avoir fait attendre.

(10) Si tu continues … rouler aussi vite, tu finiras … avoir un accident.

(11) Ce film est interdit … les jeunes de moins de dix-huit ans.

(12) Quand je suis arrivé chez eux, ils n'avaient pas fini … dîner.

(13) Le salaire de mon mari est égal … le mien.

(14) Mon fils avait un an quand il a commencé … marcher.

(15) Où est mon passeport? Je suis certaine …. l'avoir rangé dans mon secrétaire.

Les Conjonctions

[حروف العطف]

[I] Définition

[تعريف]

La conjonction réunit deux mots de même nature dans la même proposition (deux noms, deux adjectifs, deux adverbes, etc.) ou deux propositions dans la même phrase.

Cet élève est grand _et_ fort.
Je mets un pardessus **_parce qu_**'il fait froid.

Le mot _et_ est une conjonction; **_parce que_** est une locution conjonctive.

NB. La conjonction est invariable.

[II] Différentes espèces de conjonctions

[أنواع حروف العطف المختلفة]

Il y a des conjonctions de **coordination** et des conjonctions de **subordination**.

(1) Les conjonctions de coordination

et	mais	donc	ni
car	ou (ou bien)	pourtant (cependant)	

(2) Les conjonctions de subordination

à condition que	بشرط أن	dès que	منذ أن، بمجرد أن
à moins que	اللهم إلا	jusqu'à ce que	إلى أن، حتى أن
afin que	لكي	lorsque	حتى
après que	بعد أن	parce que	لأن
au moment où	في لحظة أن	pendant que	بينما
aussitôt que	بمجرد أن	pour que	لأجل أن
autant que	بقدر ما	puisque	بحيث، بما أن
avant que	قبل أن	quand	عندما
bien que	مع أن	que	أن
c'est pourquoi	ومن ثم، لأجل هذا	quoique	مهما
comme	مثل	sans que	بدون أن
de façon que	بطريقة أن	si	لو، إذا
de sorte que	على أن	si bien que	بحيث إن
de telle sorte que	بطريقة أن	tandis que	بينما، في حين أن
depuis que	منذ أن	tant que	مثل

[III] Exercices sur Les Conjonctions

Exercice (1)

Complétez les phrases suivantes avec la conjonction convenable:

1	Abdallah est malade; ... ... il vient à l'école.
2	Ce matin il fait frais: il ne fait ... ... chaud ... ... froid.
3	Ce matin, j'ai acheté un livre de douze livres ... ... un cahier de cinq livres; j'ai ... ... dépensé dix-sept livres.
4	Cet élève est grand ... ... fort.
5	Cet élève est petit, ... il est très fort.
6	Cette classe a une porte et deux fenêtres; elle a ... ... trois ouvertures.
7	Demain soir nous irons au théâtre ... ... au cinéma.
8	Je ne sortirai pas aujourd'hui, ... il fait froid.
9	Je n'irai me promener ... ... aujourd'hui ... ... demain, ... j'ai beaucoup de travail .
10	Le fer ... ... le cuivre sont deux métaux
11	L'eau ... ... le vin sont des liquides.
12	Mon frère a fini ses études; l'an prochain il sera fonctionnaire ... ... commerçant.
13	Prenez votre crayon ... ... nous allons dessiner.
14	Vous avez froid; ... ... le soleil brille.
15	Vous ne comprenez pas la leçon, le professeur l'a ... ... longuement expliquée.

Exercice (2)

Remplacez les points par la locution _parce que_ ou la locution _pour que_ (suivant le sens):

1	Ali a été puni ... ... il n'a pas su ses leçons.
2	Je prends un pardessus ... ... il fait très froid.
3	Je travaille bien en classe ... ... mes parents soient content de moi.
4	Mon père m'envoie à l'école ... ... je sois instruit.
5	Notre professeur a répété ses explications ... ... nous comprenions bien la leçon.

L'interjection

النداء أو التعجب

Les interjections et les locutions interjectives sont des cris, des exclamations. Elles expriment généralement un sentiment : la joie, la douleur, l'admiration, l'étonnement, l'exclamation..... etc.

كلمات النداء أو التعجب هي صيحات تُطلق للتعبير عن الإعجاب، الفرح، الألم، الدهشة، التعجب ... إلخ.

Les principales interjections sont :

1- Pour exprimer la joie, la satisfaction: *ah ! bravo ! bon !*

1- للتعبير عن الفرح، الرضا، القناعة، نستخدم إحدى الكلمات السابقة

Ah ! que je suis content de vous écrire.
Bravo ! vous avez bien parlé.
Bon ! elle est reçue.

2- Pour exprimer la douleur: *ah ! aïe ! hélas ! mon Dieu !*

2- للتعبير عن الألم

Ah ! qu'il est fatigué.
Aïe ! vous me faites mal.
Mon Dieu ! mon père est très malade.

3- Pour exprimer l'admiration: *oh ! ah !*

3- للتعبير عن الإعجاب

Ah ! qu'elle est belle.
Oh ! que ce film est comique.

4- Pour exprimer l'étonnement, la surprise: *bah ! comment ! tiens !*

4- للتعبير عن الدهشة أو المفاجأة

Tiens ! c'est vous ? je ne vous attendais pas.
Bah ! est-ce possible ?
Comment ! cet élève a été réussi ?

5- Pour encourager: *bravo ! courage ! allons ! bon ! excellent !*

5- للتعبير عن الاستحسان أو التشجيع.

Bravo ! continuez, vous êtes très bien.
Allons ! nous devons arriver vite.
Excellent ! vous êtes le meilleur.

6- Pour demander le silence : *chut ! silence !*

6- لتوجيه أمر بالصمت أو السكوت

Chut ! ton père dors.
Silence ! nous sommes en classe.

7- Les locutions interjectives sont: *mon Dieu ! Dieu de ciel ! Dieu me pardonne ! ma foi ! en avant ! au diable !*

7- التعبيرات التعجبية هي: يا إلهي! يا إله السماء! فليسامحني الله! .... إلخ

Que Dieu me pardonne ! je fais un accident.

LE NOM

Le nom est mot qui se sert à nommer une personne, un animal ou une chose.

الاسم هو كلمة تستخدم في تسمية شخص أو حيوان أو شيء.

Abdallah	nom de personne
Singe	nom d'animal
Gomme	nom de chose

Le nom est **commun** ou **propre**.

Le nom commun est *commun* à plusieurs personnes, à plusieurs animaux, à plusieurs choses.

Ex. Homme – Jument – Pays

Le nom propre est *propre*, spécial à une personne, à un animal, à une chose.

Ex. Abdallah – Égypte

كيفية صياغة المؤنث

Comment trouver le féminin d'un nom ou d'un adjectif?

في اللغة الفرنسية هناك العديد من الكلمات التي لها مـذكر ومؤنـث، ومنهـا الأسـماء والـصفات والـضمائر والأدوات وأسماء المفعول، ولصياغة المؤنث فإننـا ننظـر إلى الحـرف الأخـير للكلمـة المـذكرة والـذي عـلى أساسـه يتحدد كيفية صياغة المؤنث منه، وبصفة عامة فإننا نقوم بإضافة حرف الـ (e) على نهاية الكلمة المذكرة، كـما في المثال:

Masculin	Féminin
un étudiant	une étudiante
un ami	une amie

وفيما يلي بعض الجداول التي توضح القواعد المتعارف عليها في صياغة المؤنث مـن الأسـماء ومـن الـصفات والاستثناءات المتعارف عليها في علوم اللغة.

[I] [Formation]

[التكوين]

Lettre finale du masculin	Pour trouver le féminin	Exemples
a	On ne change pas le mot.	il est baba, elle est baba ; un baba cool, une baba cool il est fada, elle est fada
	Particularités	il est bêta, elle est bêtasse (familier) un papa, une maman

lettre finale du masculin c	c : che	blanc, blanche, franc, franche, sec, sèche
	c : chesse	un archiduc, une archiduchesse ; un duc, une duchesse
	c : que	caduc, caduque, laïc, laïque, public, publique, parapublic, parapublique, un Turc, une Turque

lettre finale du masculin **d**	On ajoute un **e** à la fin du mot.	allemand, allemande, blond, blonde, grand, grande, rond, ronde, nauséabond, nauséabonde
	On ne change pas le mot.	il est flood, elle est flood , il est speed, elle est speed (ces adjectifs sont invariables)

lettre finale du masculin **e**	On ne change pas le mot.	il est adorable, elle est adorable, il est juge, elle est juge, il est solitaire, elle est solitaire
	e : esse	un âne, une ânesse; un buffle, une bufflesse; un diable, une diablesse; un hôte, une hôtesse; un maître, une maîtresse; un ogre, une ogresse; un poète, une poétesse; un prince, une princesse; un prophète, une prophétesse; un tigre, une tigresse; un traître, une traîtresse
lettre finale du masculin **é**	On ajoute un **e** à la fin du mot.	il est allongé, elle est allongée; il est emballé, elle est emballée; il est préféré ; elle est préférée

lettre finale du masculin f	f : ve	il est actif, elle est active; adhésif ; administratif ; adoptif ; affirmatif ; agressif ; allusif ; annulatif ; apéritif ; appréciatif ; approbatif ; argumentatif ; attentif ; attractif ; auditif; captif; compréhensif; éducatif; fautif; intensif; négatif; oppressif

lettre finale du masculin g	g : gue	il est barlong, elle est barlongue il est long, elle est longue il est oblong, elle est oblongue

lettre finale du masculin i ou ï	On ajoute un e à la fin du mot.	il est aigri, elle est aigrie, averti, anobli, épanoui

lettre finale du masculin l	l : lle	annuel; casuel; conceptuel; criminel; culturel; éternel; fraternel; habituel; immortel; menstruel, ministériel, maternel, réel, rituel, sensuel, sensoriel, usuel

On ajoute un **e** à la fin du mot.	il est amical, elle est amicale; amiral; colossal; commercial; crucial; fatal; général; idéal; lexical; loyal; mental; moral, normal, occidental, original, paradoxal, royal, social, temporal, théâtral, tropical, total, uval, verbal	
On ne change pas le mot.	il est cool, elle est cool (cet adjectif est invariable)	
Particularités	auquel, à laquelle ; duquel, de laquelle ; lequel, laquelle il, elle un cheval, une jument un chevreuil, une chevrette (ou chèvre)	

lettre finale du masculin **m**	On ne change pas le mot.	un médium, une médium
	Particularité	un daim, une daine

	en : enne	un Égyptien : une Égyptienne Algérien; Australien; Canadien; Éthiopien; Italien; Parisien **il est chirurgien, elle est chirurgienne** ancien, citoyen ; un collégien, un comédien ; un grammairien ; un historien ; un magicien ; un mécanicien ; onusien ; un opticien ; quotidien
lettre finale du masculin n	**on : onne**	un baron, une baronne ; il est bon, elle est bonne ; il est bouffon, elle est bouffonne ; un espion, une espionne ; un lion, une lionne ; un paon, une paonne ; un patron, une patronne ; un pigeon, une pigeonne ; un pion, une pionne ; un Saxon, une Saxonne
	On ajoute un **e** à la fin du mot.	un Africain ; une Africaine; un Américain; certain ; un citadin ; un clandestin ; un cousin ; un musulman ; il est urbain ; un villain

		il est châtain, elle est châtain
	On ne change pas le mot.	il est open, elle est open (invariable)
		un médecin, une médecin
	Particularités	il est bénin, elle est bénigne
		un businessman, une businesswoman
		un copain, une copine
		un devin, une devineresse
		il est malin, elle est maligne
		un paysan, une paysanne
		un rugbyman, une joueuse de rugby ; un tennisman, une joueuse de tennis

lettre finale du masculin **o**	**o : ote**	il est rigolo, elle est rigolote ; un rigolo, une rigolote
	On ne change pas le mot. (mots familiers)	un ado, une ado (= adolescent) ; il est afro, elle est afro (invariable) ; il est audio, elle est audio (invariable) ; il est vidéo, elle est vidéo (invariable) ;

| lettre finale du masculin p | On ne change pas le mot. | il est non-stop, elle est non-stop ; il est pop, elle est pop (ces adjectifs sont invariables) |
| | Particularité | un loup, une louve |

| lettre finale du masculin q | Particularité | un coq, une poule |

| lettre finale du masculin | er : ère | **il est fier, elle est fière ; un berger, une bergère**

il est animalier ; un annoncier ; un aventurier ; un banquier ; un bijoutier ; un boucher ; un boulanger ;
un caissier ; un conseiller ; un cuisinier ; un dernier ; un ouvrier ; un romancier ; un teinturier

Exceptions : un bélier, une brebis ; un sanglier, une laie |

r		Pas de féminin pour : un barbier, un savetier
r r	teur : trice (les mots en -teur -teuse ci-après)	**un amateur, une amatrice** un acteur, annonciateur, adorateur, un correcteur, concilicateur, un décorateur, un directeur, dominateur, un examinateur, un fondateur, un formateur, un instructeur, un introducteur, un lecteur, un manipulateur, un narrateur, un navigateur, un négociateur, un novateur, un organisateur, ordonnateur, un présentateur, un protecteur, un traducteur
r r r	eur : euse	**un acheteur , une acheteuse** un arrangeur ; un chanteur ; un chasseur ; un chercheur; un coiffeur ; un conteur ; un danseur ; un employeur ; un emprunteur ; un flatteur; un graveur ; un logeur ; un marcheur ; un menteur ; un

320

r		mireur ; un modeleur ; un monteur ; un moqueur ; un nageur ; Exceptions : un empereur, une impératrice ; un enquêteur, une enquêteuse ou une enquêtrice ; monsieur, madame , ... Pas de féminin pour : un abatteur ; un apporteur ; un armateur ; il est avant-coureur ; un bretteur ; un chauffeur ; un chausseur ; un couvreur ; un fourreur ; un laboureur ; un parqueteur ; un pisteur ; un planteur ; un précurseur ; il est précurseur, un raboteur ; un redresseur ; un sauveteur ; il est tâteur ; un transporteur ...
r	eur : eresse	un bailleur, une bailleresse (= loueur) un chasseur, une chasseresse (en poésie) un défendeur, une

		défenderesse (pour une action en justice) un demandeur, une demanderesse (pour une action en justice) il est enchanteur, elle est enchanteresse un pécheur, une pécheresse (sens religieux) un vengeur, une vengeresse ; il est vengeur, elle est vengeresse
	On ajoute un **e** à la fin du mot	un docteur (on disait une doctoresse) ; il est clair ; il est dur ; un gouverneur ; il est inférieur ; il est meilleur ; il est noir ; un professeur ; un proviseur ; il est supérieur ; il est sûr
	On ne change pas le mot.	un reporter, une reporter
	Particularités	un pair, une pairesse (C'était l'épouse d'un Pair.) un Quaker, une Quakeresse (mouvement religieux) un tsar ou tzar (ou czar), une tsarine ou tzarine (ou czarine)

lettre finale du masculin s s s	**s : sse**	**il est bas, elle est basse** il est épais ; il est gras ; il est gros ; un gros ; il est las ; il est métis
	On ajoute un **e** à la fin du mot.	**il est admis, elle est admise** un Anglais ; il est anglais ; un Chinois ; il est compris ; un Danois ; il est divers ; français ; il est gris, insoumis ; mauvais ; Néerlandais ; permis ; précis ; un Suédois
	On ne change pas le mot.	ces ; des ; les ; leurs ; mes ; nos ; nous ; plusieurs ; vos ; vous ; ses ; tes il est tubeless, elle est tubeless
	Particularités	auxquels, auxquelles ; lesquels, lesquelles un fils, une fille il est frais, elle est fraîche (*anciennement* : fraîche) un héros, une héroïne ils, elles un petit-fils, une petite-fille quels, quelles il est tiers, elle est tierce

lettre finale du masculin t	**t : tte**	**un cadet, une cadette** il est coquet ; un coquet ; il est croquignolet ; il est frisquet ; il est grandelet ; il est muet ; il est net ; il est **sot** ; il est suret Particularité : il est chérot (invariable)
	et : ète	**il est inquiet, elle est inquiète** concret ; désuet ; discret ; incomplet ; indiscret ; inquiet ; préfet ; replet ; secret, complet
	On ajoute un **e** à la fin du mot.	**il est différent, elle est différente** abondant ; adolescent ; adroit ; adhérent ; convergent ; il est court ; il est couvert ; gratuit ; idiot ; nonchalant
	Particularités	un canut, une canuse un verrat (= porc), une truie
	On ne change pas le mot.	un enfant, une enfant il est knock-out, elle est knock-out ; il est out, elle est out ; il est smart, elle est smart (*ces adjectifs sont invariables*)

lettre finale du masculin u	**eau : elle**	beau, belle ; un chameau, une chamelle ; un jouvenceau, une jouvencelle ; jumeau, jumelle ; un jumeau, une jumelle ; nouveau, nouvelle ; un nouveau, une nouvelle ; un pastoureau, une pastourelle
	ou : olle	fou, folle ; mou, molle
	gu : guë	il est aigu, elle est aiguë il est exigu, elle est exiguë
	On ajoute un **e** à la fin du mot.	**il est attendu, elle est attendue** connu ; déchu ; déçu ; dévolu ; entendu ; éperdu ; méconnu ; moussu ; vendu
	On ne change pas le mot.	tu
	Particularités	un Andalou, une Andalouse un chouchou, une chouchoute (familier) un dieu, une déesse du, de la (de l') un loulou, une louloute (familier) un neveu, une nièce un taureau, une vache un voyou (pas de féminin)

lettre finale du masculin x	**x : se**	**il est heureux, elle est heureuse** chaleureux ; courageux ; coûteux ; douloureux ; douteux ; il est duveteux ; envieux ; un é**poux** ; il est jal**oux** ; il est joyeux ; il est laborieux ; il est lumineux ; il est majestueux ; il est malchanceux ; il est malencontreux ; il est malheureux ; il est malicieux ; il est merveilleux ; il est minutieux ; il est mystérieux ; nerveux ; nombreux ; odieux ; orageux ; orgueilleux ; paresseux ; précieux ; sérieux ; soigneux
	x : sse	il est roux, elle est rousse ; ils sont roux, elles sont rousses il est faux, elle est fausse ; ils sont faux, elles sont fausses
	On ne change pas le mot.	il est reflex, elle est reflex, ils sont reflex, elles sont reflex
	On ajoute un e.	il est préfix, elle est préfixe, ils sont préfix, elles sont préfixes
	Particularités	il est doux, elle est douce, ils sont doux, elles sont douces eux, elles il est vieux, elle est vieille, un vieil homme ; ils sont vieux, elles sont vieilles

	Particularité	un poney, une ponette
lettre finale du masculin y	On ne change pas le mot.	un jockey, une jockey il est dry, elle est dry ; il est fair-play, elle est fair-play ; il est groggy, elle est groggy ; il est jazzy, elle est jazzy ; il est sexy, elle est sexy (*ces adjectifs sont invariables*)

[II] [Remarques]

[ملاحظات]

(1) Les noms

(1) هناك أسماء تكون مذكرة في حالة المفرد وتكون مؤنثة في حالة الجمع، ومنها:

amour, délice, orgue

Ex. un amour de jeunesse, des amours enfantines

un vrai délice, des délices infinies

un orgue de Barbarie, des grandes orgues

(2) بعض الكلمات في اللغة الفرنسية تتشابه كما لو أنها مذكر ومؤنث، ولكنها لا تحمل نفس المعنى كما في الأمثلة الآتية:

un arpenteur	(مَسَّاح) الأَرَاضِي	une arpenteuse	أَرْفِيَـة (حَشَرَة مِــن حُرْشُفِيَّات الأَجْنِحَة)
un arroseur	سَاقٍ، سَقَّاء	une arroseuse	عَرَبَة لِرَشّ الشَّوَارِع بِالمَاء
un chauffeur	سَائِق سَيَّارَة	une chauffeuse	وَطِيئَة: مَقْعَد وَطِيء قُرْب النَّار
un chef	رَئِيس، وَلِيّ أَمْر	une cheftaine	رَئِيسَة كَشَّاف
un dauphin	دُلْفِين	une dauphine	زَوْجَة وَلِيّ العَهْد في فَرَنْسَا
un final	نِهَائِيّ	une finale	المُبَارَاة الأَخِيرَة

un fourrier	مُحَاسِب التَّجْهِيزَات	une fourrière	مَكَان تُحْشَر فِيه الحَيَوانـات الـسَّائِبَة أو الـسَّـيَّارَات المُصَادَرَة
un lézard	جِنْس حَيَوانَات زَحَافَة مِن فَصِيلَة السَّقَايَات	une lézarde	شَقّ فِي جِدَار
un loup	ذِئْب	une loupe	عَدَسَةٌ مُكَبِّرَة
un machin	فُلان، عِلَّان	une machine	آلَة، جِهَاز
un mandarin	مُتَقِّف مِنَ النُّخْبَة	une mandarine	يُوسُفِيّ
un matelot	مَلَّاح، بَحْرِيّ	une matelote	طَبَـق مِـن قِطَـع السَّـمَك وَحَلَقَات البَصَل
un médecin	طَبِيب	une médecine	طِبّ
un méridien	هَاجِرَة (فِي الفَلَك)	une méridienne	قَيْلُولَة
un moutard	صَبِيّ، وَلَد	une moutarde	مُسْطَرْدَة
un mulet	بَغْل	une mulette	رِخْوِيَّة نَهْرِيَّة
un muscadin	شَابٌّ أَنِيق	une muscadine	شُوكُولا مَحْشُوَّة
un oiseau	طَائِر، عُصْفُور	une oiselle	فَتَاة بَرِيئَة وَسَاذَجَة
un planteur	زَرَّاع	une planteuse	آلَة غَرْس البَطَاطَا
un raboteur	صَقَّال بالمِنْجَر	une raboteuse	مِنْجَر آلِيّ
un scélérat	فَاسِق	une scélératesse	إِثْم، فُسُوق

(3) وهناك بعض الأسماء التي يتغير معناها بتغير جنسها، ومنها:

Masculin	Féminin
le livre (*ouvrage imprimé*) كتاب	la livre (*mesure de poids ou de monnaie*) جُنيه
le manche (*partie par laquelle on tient un outil*) مِقبض	la manche (*partie d'un vêtement qui couvre le bras*) كُم
le voile (*morceau de tissu qui cache (qqch.), les cheveaux d'une femme*) الحجاب	la voile (*morceau de toile destiné à recevoir le souffle du vent pour faire avancer un bateau*) الشراع

(4) هناك بعض الأسماء التي ليس لها مذكر، مثل:

une cheftaine, une personne, une baleine, une chauve-souris, une loutre, une souris, une taupe, une araignée, une buse, une carpe, une chouette, une coccinelle, une fourmi, une guêpe, une hirondelle, une mésange, une sardine, une sole, une sterne, une tanche, une tortue, une truite

(5) هناك بعض الأسماء التي ليس لها مؤنث مثل:

un mille-pattes	أُمُّ أَرْبَع وَأَرْبَعِين	un loir	جرد سِنجَابِي
un couvreur	عَامِل يَقُوم بِبِنَاء الأَسْقُفِ والأَسْطُحِ	un sauveteur	مُنْقِذ من الغَرَق
un filateur	غَزَّال	un bœuf	ثَوْر
un pompier	رجل مطافئ	un sauveur	مُحَرِّر، مُنْقِذ
un hibou	بومة	un lézard	
un armateur	مُجَهِّز سَفِينَة أو صَاحِبُها	un chauffeur	سائق
un sculpteur	نَحَّات	un voyou	سُوقيّ، دَاعِر
un moustique	بَعُوضَة	un mulot	دَثِيمَة: فَأْرَة الحِرَاج
un brochet	سَمَك نَهْرِيّ	un castor	قُنْدُس: جنس حيوان من القواضم
un guépard	فَهْد	un héron	طَائِر البَلَشُون
un archer	رَامِي السِّهَام	un campagnol	فَأْرَة الحَقْل
un corbeau	غُراب	un objecteur	مُعْتَرِض، مُعَارِض
un ver	دُودة	un écureuil	سِنْجَاب

un saumon	سلمون	un vautour	عُقَاب: جِنْس طَيْر مِنَ الكَوَاسِر
un poisson	سمك	un rapace	كَاسِر، خَاطِف
un chausseur	إِسْكَافِيّ	un chef	رَئِيس
un déserteur	هَارِب مِنَ الجُنْدِيَّة	un escroc	نَصَّاب، غَشَّاش
un opossum	حَيَوَان أَمْرِيكِيّ	un ouistiti	هَال: جِنْس قُرُود أَمْرِيكِيَّة
un dauphin	دُلْفِين	un gorille	غُوريلا

(6) فيما يلي جدول يضم بعض الأسماء التي يختلف مؤنثها عن مذكرها في جذر الكلمة:

Quelques féminins irréguliers			
Masculin	**Féminin**	**Masculin**	**Féminin**
le monsieur	la dame	le loup	la louve
le bœuf	la vache	le maître	la maîtresse
le bouc	la chèvre	le mari	la femme
le buffle	la bufflesse	le mouton	la brebis
le canard	la cane	le mulet	la mule
le chameau	la chamelle	le nègre	la négresse
le chat	la chatte	le neveu	la nièce
le cheval	la jument	le paysan	la paysanne
le coq	la poule	le père	la mère
le dindon	la dinde	le prince	la princesse
le fils	la fille	le roi	la reine
le frère	la sœur	le serviteur	la servante
le garçon	la fille	le tigre	la tigresse
le gendre	la bru	le veuf	la veuve
le héros	l'héroïne	l'homme	la femme
le jeune homme	la jeune fille	l'oncle	la tante
le lion	la lionne		

(2) Les adjectifs

(1) هناك صفات لا تستعمل إلا في حالة المذكر:

il est aquilin ; il est avant-coureur ; il est ballot ; il est benêt ; il est coulis ; il est coûtant ; il est échéant ; il est grégeois ; il est précurseur ; il est salant ; il est saur ; il est vairon

(2) هناك صفات لا تستخدم إلا في حالة المؤنث:

elle est ansée ; elle est bée ; elle est bissextile ; elle est cochère ; elle est crasse ; elle est dive ; elle est enceinte ; elle est épinière ; elle est faîtière ; elle est gammée ; elle est grège ; elle est infuse ; elle est océane ; elle est palière ; elle est patronnesse ; elle est peccante ; elle est philosophale ; elle est picrocholine ; elle est pie (= pieuse) ; elle est porte ; elle est poulinière ; elle est régale ; elle est tourière ; elle est trémière ; elle est vaticane ; elle est vomique

(3) Les participes passés

Beaucoup de participes passés peuvent s'accorder.

Exemples:

Je fais une tarte. **La tarte** est faite par moi. Je **l'**ai faite. (Mais : Je l'ai fait cuire.)

Je prépare une tarte. **La tarte** est préparée par moi. Je **l'**ai préparée.

Je suis venu(e). **Tu** es venu(e). **Vous** êtes venu(e)(es)(s).

Il s'est levé. **Elle** s'est levée. **Ils** se sont levés. **Elles** se sont levées.

Ils se sont parlé (= Chacun a parlé à l'autre.)

Ils se sont procuré des documents (= Ils ont procuré à eux des documents.)

(4) Les déterminants

Masculin	Pluriel	Féminin
un	des	une
le, l'	les	la, l'
du, de l'	des	de la, de l'
ce, cet	ces	cette
mon, ton, son	mes, tes, ses notre, votre, leur nos, vos, leurs	ma, ta, sa
quel, quels	.	quelle, quelles
aucun, certains, différents, nul, ...	chaque, plusieurs, quelque, quelques, ...	aucune, certaines, différentes, nulle, ...

(5) Des pronoms

masculin		féminin
il, ils	je, tu, on, nous, vous	elle, elles
lequel, lesquels auquel, auxquels duquel, desquels	.	laquelle, lesquelles à laquelle, auxquelles de laquelle, desquelles
lui, eux . le, l'	moi, toi, soi, nous, vous me, te, lui, nous, vous, leur les	elle, elles . la, l'
le mien, le tien, le sien, le nôtre, le vôtre, le leur, les miens, les tiens, les siens	les nôtres, les vôtres, les leurs	la mienne, la tienne, la sienne, la nôtre, la vôtre, la leur, les miennes, les tiennes, les siennes
celui, ceux	.	celle, celles
tout, tous	.	toute, toutes

Exercices sur le féminin des adjectifs et des noms

Parmi ces choix, choisissez la réponse correcte:

(1) Il a acheté une règle … .

a	b	c	d
noir	noire	noirs	noirre

(2) Je lui ai envoyé une lettre … .

a	b	c	d
amicaux	amical	amicale	amicaue

(3) Elle a vu une souris … dans la cuisine.

a	b	c	d
gris	grie	grisse	grise

(4) Son mari est fidèle. Sa femme est … .

a	b	c	d
fidèle	fidèles	fidelle	fidèlee

(5) C'est un journaliste actif. C'est une … active.

a	b	c	d
journalists	journaliste	journalistte	journalistee

(6) Ce cuisinier est habile mais sa femme est plus … que lui.

a	b	c	d
habiles	habilee	habile	habille

(7) Tu es un bon élève et ta sœur est une bonne … aussi.

a	b	c	d
élèves	élève	élèvee	élèvve

(8) C'est mon frère qui est arrivé le premier. C'est ma sœur qui est arrivée la … .

a	b	c	d
premiere	premier	première	premierre

(9) Son sac n'est pas léger, c'est sa valise qui est … .

a	b	c	d
légere	légère	légerre	léger

(10) Son mari est un bon couturier et elle est une bonne … .

a	b	c	d
couturiere	couturierre	couturièr	couturière

(11) Mon amie est infirmière. Mon ami est … .

a	b	c	d
infirmier	infirmière	infirmièr	infirmiere

(12) Le couteau est net et l'assiette est … .

a	b	c	d
net	nete	nètte	nette

(13) J'ai trouvé un petit minet et une petite … .

a	b	c	d
minete	minète	minette	minet

(14) On démutise les sourds-muets et les … .

a	b	c	d
sourdes-muètes	sourdes-muettes	sourdes-muetes	sourdes-muèttes

(15) Elle a un frère blondinet et une sœur … .

a	b	c	d
brunette	brunète	brunet	brunètte

(16) Ils parlent d'un sujet personnel. Il a écrit une lettre … .

a	b	c	d
personnelle	personnèle	personnele	personnell

(17) Il étudie dans une école professionnelle. Il ne déclare pas son secret … .

a	b	c	d
professionel	professionnel	professionnell	profesionel

(18) Il préfère le travail manuel, il aime toutes les activités … .

a	b	c	d
manueles	manuèles	manuelles	manuels

(19) Son évanouissement a été accidentel. Sa mort a été … .

a	b	c	d
accidentelle	accidentèle	accidentel	accidentèlle

(20) Il a visité la plupart des pays européens. Il rêve de vivre dans l'une des villes … .

a	b	c	d
europennes	europènes	européenes	européennes

(21) Ma sœur rêve de devenir mécanicienne. Mon père est … .

a	b	c	d
mécanicienne	mécanicien	mécanicies	mécanicienn

(22) J'ai rencontré un homme abyssinien et une petite fille … .

a	b	c	d
abyssiniene	abyssinienne	abyssiniènne	abyssiniène

(23) Il a un ami béotien et une amie … .

a	b	c	d
béotienne	béotiènne	béotiène	béotiene

(24) Il croit que son voisin est espion. Il croit que sa voisine est … .

a	b	c	d
espione	espion	espionne	espionn

(25) Ce film est bouffon. Cette scène est … .

a	b	c	d
bouffone	bouffon	bouffonn	bouffonne

(26) Je n'aime pas les bougons et les … .

a	b	c	d
bougonns	bougones	bougonnes	bougone

(27) Cette boulangère est friponne. Ce boulanger est … .

a	b	c	d
fripon	friponne	friponn	fripone

(28) Ce sont des frères jumeaux. Ce sont des sœurs … .

a	b	c	d
jumeaux	jumelles	jumeaues	jumèles

(29) J'ai acheté un nouveau téléphone et une … télévision.

a	b	c	d
nouveaulle	nouveaue	nouvèle	nouvelle

(30) Il se sent fou. Elle se sent … .

a	b	c	d
foue	foulle	folle	foule

(31) Le beurre est mou et la crème est … .

a	b	c	d
moue	molle	moulle	moule

(32) Il est heureux de quitter cet hôtel et sa femme est … aussi.

a	b	c	d
heureuse	heureuxe	heureux	heureue

(33) Son cas est dangereux. Sa maladie est … .

a	b	c	d
dangereux	dangereuxe	dangereue	dangereuse

(34) Je préfère employer les ambitieux et les … .

a	b	c	d
ambitieux	ambitieuex	ambitieuses	ambitieuxes

(35) Cette … est mariée d'un boiteux.

a	b	c	d
boiteusse	boitrice	boiteuxe	boiteuse

(36) Mon voisin est un bon exploiteur des chances. Ma voisine est une bonne … des chances.

a	b	c	d
exploiteuxe	exploiteuse	exploiteure	exploiteue

(37) Ce joueur était blessé. Cette … était blessée.

a	b	c	d
joueuse	joueur	joueux	joueue

(38) La police a arrêté un cambrioleur et une … .

a	b	c	d
cambrioleure	cambrioleuse	cambrioltrice	cambrioleusse

(39) Mon collègue est caqueteur mais sa sœur n'est pas … .

a	b	c	d
caqueteuse	caqueteure	caquetouse	caqueteusse

(40) Elle ne peut pas vivre sans son époux. Il ne peut pas vivre sans son … .

a	b	c	d
épouxe	époux	épouse	époue

(41) Mon cousin est jaloux de sa sœur. Ma cousine est ... de son frère.

a	b	c	d
jaloux	jalouxe	jaloue	jalouse

(42) Après la mort de son père, son oncle devient son tuteur. Après la mort de son père, sa mère devient sa ... .

a	b	c	d
tuteure	tutrice	tuteuse	tuteur

(43) Son grand-père est le fondateur de cet institut. Notre voisine est la ... de cet institut.

a	b	c	d
fondatrice	fondateuse	fondateure	fondateurs

(44) Mon père est un bon lecteur et ma mère est une bonne ... aussi.

a	b	c	d
lecteure	lecteurre	lecteuse	lectrice

(45) C'est le nouveau présentateur ou la nouvelle ... qui présentera le programme ce soir?

a	b	c	d
présentateurre	présentateuse	présentatrice	présentateure

(46) Cet écrivain a le style bas. Cette femme a la voix … .

a	b	c	d
bas	base	basse	bass

(47) J'ai reçu un gros colis et une … lettre.

a	b	c	d
grosse	gros	grose	gross

(48) Dans cette ferme il y a un âne gras et une vache … .

a	b	c	d
grase	grasse	gras	graseuse

(49) Mon ami n'est pas las mais sa sœur est … .

a	b	c	d
lasse	las	lase	laseuse

(50) Son oncle veuf a ébousé une femme … .

a	b	c	d
veuve	veufe	veuffe	veuse

(51) Elle s'est achetée un blouson neuf et une robe … .

a	b	c	d
neuffe	neufe	neuve	neufeuse

(52) Ton frère est mon meilleur ami et ta sœur est ma … amie.

a	b	c	d
meilleurre	meilleutrice	meilleuse	meilleure

(53) Il n'aime pas montrer son sentiment intérieur. Je préfère la chambre … .

a	b	c	d
intérieuse	intérieure	intérière	intérieur

(54) Il se sent inférieur mais elle ne se sent jamais … .

a	b	c	d
inférieurre	infértrice	inférieuse	inférieure

(55) Ton père n'est pas inquiet mais ta mère est … .

a	b	c	d
inquiète	inquiete	inquiette	inquiètte

(56) La salle est complète. Le nombre est ... .

a	b	c	d
complète	complet	complèt	comple

(57) Il est un homme discret mais sa femme n'est pas du tout ... .

a	b	c	d
discrète	discrette	discrete	discretrice

(58) L'immeuble où il habite est vieux et son école est très ... .

a	b	c	d
vieuse	vieille	vieuxe	vieue

(59) Ton maître est très gentil. Ta ... est très gentille.

a	b	c	d
maîtère	maître	maîtresse	maîtrice

(60) Il a un chat blanc. Elle a acheté une robe ... .

a	b	c	d
blanc	blance	blanche	blanch

(61) Son fils a le caractère doux. Sa fille a la voix … .

a	b	c	d
douce	douxe	douse	doux

(62) C'est un endroit public. C'est une place … .

a	b	c	d
publice	publique	public	publiques

(63) Le féminin de "Favori" c'est:

a	b	c	d
favorite	favorie	favoriie	favoreuse

(64) Le féminin de "Frais" c'est:

a	b	c	d
fraisse	fraîche	fraise	fraiseuse

(65) Le féminin de "Franc" c'est:

a	b	c	d
france	francce	franche	francère

(66) Le féminin de "Grec" c'est:

a	b	c	d
grèce	grece	greceuse	grecque

(67) Le féminin de "Long" c'est:

a	b	c	d
longuese	longne	longue	longe

(68) Le féminin de "Malin" c'est:

a	b	c	d
maligne	maline	malinne	malineuse

(69) Le féminin de "pécheur" c'est:

a	b	c	d
pécheuse	péchetrice	pécheure	pécheresse

(70) Le féminin de "Traître" c'est:

a	b	c	d
traître	traîtresse	traîtreuse	traîtrre

Du singulier au pluriel

(1) Règle générale

القاعدة العامة لجمع الكلمة في اللغة الفرنسية هي أن نقوم بإضافة حرف الـ (s) على المفرد.

Ex. un piano, des pianos ; il est jeune, ils sont jeunes.

Exemples : des plombs, des nerfs, des sangs, des varechs, des lois, des calculs, des noms, des freins, des lassos, des loups, des coqs, des vers, des fruits, des inconnus, ils sont francs, ils sont grands, ils sont brefs, ils sont longs, ils sont gentils, ils sont rigolos, ils sont fiers, ils sont cuits, ils sont aigus.

(2) Mots terminés par [au]

Singulier	Pluriel
---- au	---- aux

Ex. un fléau, des fléaux ; un étau, des étaux ; un joyau, des joyaux ; un matériau, des matériaux ; un noyau, des noyaux ; un préau, des préaux ; un tuyau, des tuyaux

(3) Mots terminés par [eu]

Singulier	Pluriel
---- eu	---- eux ---- eus

Ex. (1) un bleu, des bleus ; il est bleu, ils sont bleus ; un émeu, des émeus ; eu, eus ; un lieu, des lieus ; un lieu, des lieux ; un pneu, des pneus.

Ex. (2) un adieu, des adieux ; un antijeu, des antijeux ; un aveu, des aveux ; un cheveu, des cheveux ; un désaveu, des désaveux ; un dieu, des dieux; un enjeu, des enjeux ; un essieu, des essieux ; un feu, des feux ; un Hébreu, des Hébreux ; un jeu, des jeux ; un milieu, des milieux ; un moyeu, des moyeux ; un neveu, des neveux; un pieu, des pieux ; un vœu, des vœux.

(4) Noms et adjectifs terminés par [eau]

Singulier	Pluriel
---- eau	---- eaux
un couteau	des couteaux
il est nouveau	ils sont nouveaux

Exemples de noms : des agneaux, des cadeaux, des chameaux, des chapeaux, des châteaux, des chemineaux, des ciseaux, des corbeaux, des coteaux, des couteaux, des drapeaux, des écriteaux, des flambeaux, des gâteaux, des tombeaux.

(5) Noms et adjectifs terminés par [ail]

Singulier	Pluriel
---- ail	---- ails ---- aux

Ex. (*1*) un ail, des ails ; un attirail, des attirails ; un cocktail, des cocktails, ; un détail, des détails ; un e-mail, des e-mails ; (un émail, des émails) ; un épouvantail, des épouvantails ; un éventail, des éventails ; un gouvernail, des gouvernails ; un portail, des portails ; un rail, des rails ; un sérail, des sérails

Ex. (*2*) un soupirail, des soupiraux ; un travail, des travaux ; un vantail, des vantaux ; un vitrail, des vitraux ; un bail, des baux ; un corail, des coraux ; un émail, des émaux **(6) Noms et adjectifs terminés par [al]**

Singulier	Pluriel
---- al	---- aux
un journal	des journaux
il est normal	ils sont normaux

Exemples;

général, canal, métal, radical, hôpital, cheval, journal

ويستثنى من القاعدة السابقة بعض الصفات والأسماء التي تجمع على (als).

Ex. pour les noms;

bal, cal, carnaval, cérémonial, chacal, festival, récital, régal

Ex. pour les adjectifs;

banal, bancal, fatal, natal, naval, néonatal

وهناك بعض الكلمات التي يمكن أن تُجمع بكلا النهايتين (aux) أو (als).

Ex. final, glacial, idéal, jovial, périnatal, postnatal

Ex. Il est causal. Ils sont causals ou causaux.

Ex. Il est tombal. Ils sont tombals ou tombaux (= relatif à une tombe).

(7) **Noms et adjectifs terminés par [ou]**

Singulier	Pluriel
---- ou	---- oux ---- ous
un bijou	des bijoux
un caillou	des cailloux
un genou	des genoux
un hibou	des hiboux
un pou	des poux
il est flou	ils sont flous
un fou	des fous
il est fou	ils sont fous
un clou	des clous
un cou	des cous

Ex.

Singulier	Pluriel
un bagou (*ou bagout*)	des bagous (= *facilité pour parler*)
il est chou (= *mignons, sympas*)	ils sont chou
il est foufou (= *un peu fou*)	ils sont foufous
un bisou (*ou bizou*)	des bisous (*ou bizous*)
un chou	des choux
un chouchou	des chouchous
un doudou	des doudous
un foufou	des foufous
un joujou	des joujoux
un loulou	des loulous
un marlou (= *un voyou*	des marlous
un matou (= *un chat*)	des matous
un minou (= *un chat*)	des minous
un pioupiou (*un jeune soldat*)	des pioupious
un poutou (= *un bisou*)	des poutous
un roudoudou (= *caramel*)	des roudoudous
un sou (= *de l'argent*)	des sous
un toutou	des toutous
une nounou (= *une nourrice*)	des nounous

(8) Noms et adjectifs invariables au pluriel

(1) الأسماء والصفات المنتهية بـ (x) أو (s) أو (z) لا تتغير في الجمع.

Ex. le colis, les colis ; un gaz, des gaz ; il est gris, ils sont gris, il est heureux, ils sont heureux

(2) الأسماء التي تتكون من الصفات العددية أيضًا لا تتغير عند الجمع.

Ex. des quatre, des cinq, des sept, des huit, des neuf, des onze, des douze, des treize, des quatorze, des quinze, des seize, des vingt (*mais quatre-vingts*), des trente, des quarante, des cinquante, des soixante, des mille

(3) أيضًا العلامات الموسيقية لا تتغير عند الجمع.

Ex. des do, des ré, des mi, des fa, des sol, des la, des si, des ut, des do bémol, des do dièse

(4) بعض الصفات التي تشير إلى لون الفاكهة أو الزهور أو الأحجار.

Ex. Ils sont abricot, ils sont acajou, ils sont arc-en-ciel, ils sont aubergine, ils sont auburn, ils sont aurore, ils sont bistre, ils sont cannelle, ils sont café, ils sont caramel, ils sont carmin, ils sont carotte, ils sont céladon, ils sont cerise, ils sont chamois, ils sont chocolat, ils sont citron, ils sont corail, ils sont crème, ils sont ébène, ils sont émeraude, ils sont feuille-morte, ils sont filasse, ils sont fuchsia, ils sont garance, ils sont gorge-de-pigeon, ils sont grenat, ils sont groseille, ils sont havane, ils sont indigo, ils sont isabelle, ils sont jonquille, ils sont kaki, ils sont lavande, ils sont lie-de-vin, ils sont lilas, ils sont magenta, ils sont marron, ils sont mastic, ils sont moutarde, ils sont noisette, ils sont ocre, ils sont olive, (*ils sont valeur or*), ils sont orange, ils sont paille, ils sont parme, ils sont pastel, ils sont pêche, ils sont pervenche, ils sont pie, ils sont pistache, ils sont platine, ils sont prune, ils sont rouille, ils sont sable, ils sont safran, ils sont saphir, ils sont saumon, ils sont sépia, ils sont soufre, ils sont tabac, ils sont tango, ils sont turquoise, ils sont vermillon, ils sont vert-de-gris, ...

[**Exceptions**: ils sont roses, ils sont écarlates, ils sont fauves, ils sont incarnats, ils sont mauves, ils sont pourpres].

(5) الألوان المكونة من كلمتين.

Ex. ils sont bleu foncé, ils sont vert clair, ils sont rose pâle, ils sont vert pomme

(9) Pluriels spéciaux (exemples)

un aïeul	des aïeuls (= *des grands-parents*) [*des aïeux = des ancêtres*]	un ciel	des cieux (*ou des ciels de lit, des ciels de carrière, des ciels de tableau, des ciels signifiant climats ou astres*)
un bonhomme	des bonshommes	un gentilhomme	des gentilshommes
madame	mesdames	mademoiselle	Mesdemoiselles
monsieur	messieurs	un œil	des yeux

Ex. des abdominaux, des accordailles, des affres, des agrès, des aguets, des alentours, des ambages, des annales, des appas (= *charmes physiques*), des appointements, des archives, des armoiries, des arrérages, des arrhes, des atours, des condoléances, des confins, des décombres, des dépens, des environs, des entrailles, des épousailles, des fastes, des fiançailles, des frais, des funérailles, des honoraires, des mœurs, des obsèques, des oripeaux, des ossements, des prémices, des relevailles, des représailles, des retrouvailles, des semailles, des sévices, des ténèbres, des tifosi, des vêpres

(10) Les déterminants

singulier	pluriel
un, une	des, de
le, la, l'	les
au, à la, à l'	aux
du, de la, de l'	des, de
mon, ma, ton, ta, son, sa, notre, votre, leur	mes, tes, ses, nos, vos, leurs
ce, cet, cette	ces
quel, quelle	quels, quelles
aucun, aucune nul, nulle chaque, quelque, ...	aucuns (seulement devant un nom sans singulier) certains, certaines, différents, plusieurs quelques, ...

(11) **Des pronoms**

Singulier	Pluriel
je, tu, il, elle, on, vous	nous, vous, ils, elles, (on)
lequel, laquelle auquel, à laquelle duquel, de laquelle	lesquels, lesquelles auxquels, auxquelles desquels, desquelles
moi, toi, soi, lui, elle me, te, lui le, la, l'	nous, vous, eux, elles nous, vous, leur les
le mien, le tien, le sien la mienne, la tienne, la sienne le nôtre, le vôtre, le leur	les miens, les tiens, les siens les miennes, les tiennes, les siennes les nôtres, les vôtres, les leurs
celui, celle	ceux, celles
tout, toute	tous, toutes

> **(12) Pluriel des noms composés**

Le nom composé est formé de deux ou plusieurs mots ; ces mots sont _réunis_ (ex. portefeuille) ou _séparés_ (ex. porte-plume).

(A) Pluriel des noms composés réunis

Quand le nom composé est formé de mots réunis, il forme le pluriel comme les noms simples.

Singulier		Pluriel
Un portefeuille	مِحْفَظَة وَحَافِظَة، حَقِيبَة	Des portefeuilles
Un pourboire	رَاشِن، حُلْوَان، بَخْشِيش	Des pourboires

(B) Pluriel des noms composés de mots séparés

Quand le nom composé est formé de mots séparés:

(1) l'adverbe, la préposition et le verbe sont toujours invariables.

(2) le nom et l'adjectif varient en général suivant le sens (la signification).

Singulier		Pluriel
arrière-boutique	حُجْرَة خَلْفِيَّة بِالمَتْجَر	des arrière-boutiques
timbre-poste	طَابِع بَرِيدِيّ	des timbres-poste
porte-monnaie	كِيس نُقُّود	des porte-monnaies

Exercices sur le Pluriel des adjectifs et des noms

Parmi ces choix, choisissez la réponse correcte.

(1) Les ... sont gentils.

A	B	C	D
enfants	enfant	mère	frère

(2) Il y a des fleurs ... .

A	B	C	D
rouge	jaune	ronde	rouges

(3) Les travaux sont ... .

A	B	C	D
fini	finix	finis	finaux

(4) Toutes les ... aiment leurs ... .

A	B	C	D
mère / enfant	mères / enfants	mèrez / enfantz	mèrex / enfantx

(5) Il préfère les … … .

A	B	C	D
grandez villez	grande ville	grandes villes	grandex villex

(6) Tous les travaux sont … .

A	B	C	D
terminéx	terminés	terminé	terminéz

(7) Ils ont les nez … .

A	B	C	D
pointux	pointu	pointuz	pointus

(8) Son bras est cassé. Ses … sont cassés.

A	B	C	D
bras	brass	brax	brasx

(9) Ce bonbon est délicieux. Ces bonbons sont … .

A	B	C	D
délicieus	délicieux	délicieuxs	délicieuz

(10) Elle a écrit son nom sur un riz. Elle ont écrit leurs noms sur des … .

A	B	C	D
riz	ris	rix	rizs

(11) J'ai un chat gris. J'ai des chats … .

A	B	C	D
grix	griz	gris	griss

(12) Il a cueilli une noix. Il a cueilli des … .

A	B	C	D
nois	noixs	noixx	noix

(13) Je rêve d'acheter un cheval. Je rêve d'acheter des … .

A	B	C	D
chevals	chevaus	chevaux	chevalx

(14) C'est un droit principal. Ce sont des droits …

A	B	C	D
principals	principaux	principau	principeux

(15) J'ai besoin d'un métal fort. J'ai besoin des … forts.

A	B	C	D
métals	métaus	méteux	métaux

(16) Le train marche sur le rail. Les trains marchent sur les … .

A	B	C	D
rails	raux	raus	railx

(17) Ils ont signé le bail. Ils ont signé les … .

A	B	C	D
bailx	bails	baux	baus

(18) C'est un jeu de mots. Ce sont des … de mots.

A	B	C	D
jeus	jeux	jeaux	jeuz

(19) Il a fait un trou dans le mur. Il a fait des … dans le mur.

A	B	C	D
trous	troux	trouz	trou

(20) J'ai vu un hibou sur cet arbre. J'ai vu des … sur cet arbre.

A	B	C	D
hibous	hiboux	hibouz	hibou

(21) Je n'aime pas le bal masqué. Je n'aime pas les … masqués.

A	B	C	D
bals	boux	balx	bal

(22) Ils aiment les … de Nice.

A	B	C	D
carnavaux	carnaval	carnavals	carnavaus

(23) Est-ce qu'ils vous ont donné le programme des …?

A	B	C	D
festivaus	festivaux	festival	festivals

(24) Ont-ils gagné tous les combats …?

A	B	C	D
naval	navals	navaux	navaus

(25) Mon neveu a reçu les soins … dans un hôpital.

A	B	C	D
néonatalx	néonataux	néonataus	néonatals

(26) Il rêve de chasser des … .

A	B	C	D
émeus	émeux	émeu	émeuz

(27) Je cherche un magasin qui vend des … .

A	B	C	D
démonte-pneuz	démonte-pneux	démonte-pneus	démonte-pneu

LES VERBES ET LES PRÉPOSITION

Verbe + à + nom

assister à qqch. (*à une assemblée, à une réunion, à un spectacle, etc.*)	*Ex. Allez-vous assister à la conférence du professeur Abdallah?* *Oui, je vais y assister.*
convenir à qqn. ou qqch.	*Ex. Cette robe ne convient pas à la circonstance. Cela ne convient pas à mon père.*
demander à qqn.	*Ex. Demandez à la dame où s'arrête l'autobus.*
déplaire à qqn.	*Ex. Cet homme-là déplaît à ma sœur.* *Cet homme-là lui déplaît.*
désobéir à qqn.	*Ex. Ce chien ne désobéit jamais à son maître.* *Il ne lui désobéit jamais.*
être à qqn.	*Ex. Ce livre est à Youssef.*
faire attention à qqn. ou à qqch.	*Ex. Faites attention au professeur.* *Faites attention aux marches.*
se fier à qqn.	*Ex. Je me fie à mes parentes.* *Je me fie à eux.*
goûter à qqch.	*Ex. Goûtez à ce gâteau; il est délicieux et vous m'en direz des nouvelles. Goûtez-y!*

s'habituer à qqn. ou à qqch.	*Ex. Je m'habitue à mon nouveau professeur.* *Je m'habitue à lui.*
s'intéresser à qqn. ou à qqch.	*Ex. Je m'intéresse aux sports.*
Jouer à	*Ex. Il aime bien jouer à la balle.* *Elle aime bien jouer au tennis.*
manquer à qqn.	*Ex. Vous me manquez.* *Ses enfants lui manquent.*
se mêler à qqch.	*Ex. Il se mêle à tous les groupes à l'école.*
nuire à qqn. ou à qqch.	*Ex. Ce que vous faites peut nuire à la réputation de votre famille.*
obéir à qqn.	*Ex. Une personne honorable obéit à ses parents.*
s'opposer à qqn. ou à qqch.	*Ex. Je m'oppose aux idées du président.*
penser à qqn. ou à qqch.	*Ex. Je pense à mes amis.* *Mais, pensez-vous de cela?*
plaire à qqn.	*Mon mariage plaît à ma famille.*
réfléchir à qqch.	*Ex. Il faut que j'y réfléchisse.*
répondre à qqn. ou à qqch.	*Ex. J'ai répondu aux questions.*

résister à qqn. ou à qqch.	*Ex. Le criminel a résisté à l'agent de police.*
ressembler à qqn.	*Ex. Il ressemble beaucoup à sa mère.*
réussir à qqch.	*Ex. Il a réussi à l'examen.*
songer à qqn. ou à qqch.	*Ex. Je songe aux grandes vacances.*
survivre à qqn. ou à qqch.	*Ex. Il a survécu à l'ouragan.*
téléphoner à qqn.	*Ex. Rana a téléphoné à Rami.*

	Verbe + à + inf.

aider à	*Ex. Abdallah aide son petit frère à faire sa leçon de mathématiques.*
aimer à	*Ex. J'aime à lire.*
s'amuser à	*Ex. Il y a des élèves qui s'amusent à mettre le professeur en colère.*
apprendre à	*Ex. J'apprends à lire.*
s'apprêter à	*Ex. Je m'apprête à aller au bal.*
arriver à	*Ex. Abdallah arrive à comprendre le subjonctif.*
s'attendre à	*Ex. Je m'attendais à trouver une salle de classe vide.*
autoriser à	*Ex. Je vous autorise à quitter cette salle de classe tout de suite.*
avoir à	*Ex. J'ai à faire mes devoirs ce soir.*
commencer à (*aussi commencer de + inf.*)	*Ex. Il commence à pleuvoir.*
consentir à	*Ex. Je consens à venir chez vous après le dîner.*
continuer à	*Ex. Je continue à étudier le français.*
décider qqn. à	*Ex. J'ai décidé mon père à me prêter quelques euros.*
se décider à	*Ex. Il s'est décidé à l'épouser.*

demander à	*Ex. Elle demande à parler.*
encourager à	*Ex. Je l'ai encouragé à suivre un cours de français.*
s'engager à	*Ex. Je ne peux pas m'engager à accepter ses idées frivoles.*
enseigner à	*Ex. Je vous enseigne à lire en français.*
s'habituer à	*Ex. Je m'habitue à parler français couramment.*
hésiter à	*Ex. J'hésite à répondre à sa lettre.*
inviter à	*Ex. Je t'invite à dîner chez moi.*
se mettre à	*Ex. L'enfant se met à rire.*
parvenir à	*Ex. Elle est parvenue à devenir docteur.*
persister à	*Ex. Je persiste à croire que cet homme est innocent.*
se plaire à	*Ex. Il se plaît à taquiner ses amis.*
recommencer à	*Ex. Il recommence à pleuvoir.*
résister à	*Ex. Je résiste à croire qu'il est malhonnête.*
réussir à	*Ex. Henri a réussi à me convaincre.*
songer à	*Ex. Il songe à devenir juge.*
tarder à	*Ex. Mes amis tardent à venir.*
tenir à	*Ex. Je tiens absolument à voir mon enfant cet instant.*
venir à	*Ex. Si je viens à voir mes amis en ville, je vous le dirai.*

Verbe + de + nom	

s'agir de	*Ex. Il s'agit de l'amour.*
s'approcher de	*Ex. La dame s'approche de la porte et elle l'ouvre.*
changer de	*Ex. Je dois changer de train à Paris.*
dépendre de	*Ex. Je veux sortir avec toi mais cela dépend des circonstances.*
douter de	*Ex. Je doute de la véracité de ce que vous dites.*
se douter de	*Ex. Je me doute de ses actions.*
Féliciter de	*Ex. Je vous félicite de vos progrès.*
Jouer de	*Ex. Je sais jouer du piano.*
Jouir de	*Ex. Mon père jouit d'une bonne santé.*
manquer de	*Ex. Cette personne manque de politesse.*
se méfier de	*Ex. Je me méfie des personnes que je ne connais pas.*
se moquer de	*Ex. Les enfants aiment se moquer d'un singe.*
s'occuper de	*Ex. Madame Marie s'occupe de son mari infirme.*
partir de	*Ex. Il est parti de la maison à 8h.*

se passer de	*Ex. Je me passe de sel.*
se plaindre de	*Ex. Il se plaint toujours de son travail.*
remercier de	*Ex. Je vous remercie de votre bonté.*
se rendre compte de	*Ex. Je me rends compte de la condition de cette personne.*
rire de	*Ex. Tout le monde rit de cette personne.*
se servir de	*Ex. Je me sers d'un stylo quand j'écris une lettre.*
se soucier de	*Ex. Vahiné se soucie de ses amis.*
se souvenir de	*Ex. Je me souviens de l'été passé.*
tenir de	*Ex. Ranya tient de sa mère.*

Verbe + de + inf.	

s'agir de	*Ex. Il s'agit de faire les devoirs tous les jours.*
avoir peur de	*Ex. Le petit garçon a peur de traverser la rue seul.*
cesser de	*Ex. Il a cessé de pleuvoir.*
commencer de	*Ex. Il a commencé de pleuvoir.*
continuer de	*Ex. Il continue de pleuvoir.*
convenir de faire qqch.	*Ex. Nous avons convenu de venir chez vous.*
craindre de	*Ex. La petite fille criant de traverser la rue seule.*
décider de	*Ex. J'ai décidé de partir tout de suite.*
demander de	*Ex. Je vous demande de parler.*
se dépêcher de	*Ex. Je me suis dépêché de venir chez vous pour vous dire quelque chose.*
empêcher de	*Ex. Je vous empêche de sortir.*
s'empresser	*Ex. Je m'empresse de venir chez toi.*
essayer de	*Ex. J'essaye d'ouvrir la porte mais je ne peux pas.*
féliciter de	*Ex. On m'a félicité d'avoir gagné le prix.*
finir de	*Ex. J'ai fini de travailler sur cette composition.*

gronder de	*Ex. La maîtresse a grondé l'élève d'avoir fait beaucoup de fautes dans le devoir.*
se hâter de	*Ex. Je me hâte de venir chez toi.*
manquer de	*Ex. Abdallah a manqué de compléter sa leçon de français.*
offrir de	*Ex. J'ai offert d'écrire une lettre pour elle.*
oublier de	*Ex. J'ai oublié de vous donner la monnaie.*
persuader de	*Ex. J'ai persuadé mon père de me prêter quelques euros.*
prendre garde de	*Ex. Prenez garde de tomber.*
prier de	*Ex. Je vous prie d'arrêter.*
promettre de	*Ex. J'ai promis de venir chez toi à 6 h.*
refuser de	*Ex. Je refuse de le croire.*
regretter de	*Ex. Je regrette d'être obligé de vous dire cela.*
remercier de	*Ex. Je vous remercie d'être venu si vite.*
se souvenir de	*Ex. Tu vois? Je me suis souvenu de venir chez toi.*
tâcher de	*Ex. Tâche de finir tes devoirs avant de sortir.*
venir de	*Je viens de manger.*

	Verbe + à + nom + de + inf.
conseiller à	*Ex. J'ai conseillé à Reda de se marier.*
défendre à	*Ex. Mon père défend à mon frère de fumer.*
demander à	*Ex. J'ai demandé à Abdallah de venir.*
dire à	*Ex. J'ai dit à Abdallah de venir.*
interdire à	*Ex. Mon père interdit à mon frère de fumer.*
ordonner à	*Ex. J'ai ordonné au chauffeur de ralentir.*
permettre à	*Ex. J'ai permis à l'étudiant de partir quelques minutes avant la fin de la classe.*
promettre à	*Ex. J'ai promis à mon ami d'arriver à l'heure.*
téléphoner à	*Ex. j'ai téléphoné à Emad de venir me voir.*

Tableaux des Conjugaisons

جداول تصريفات بعض الأفعال

Exemples de conjugaison:

1- Avec l'auxiliaire être   (naître)

2- Avec l'auxiliaire avoir   (Faire)

3- À la forme pronominale   (s'absenter, se reposer)

Remarque:

Les verbes pronominaux et les quatorze verbes se conjuguent avec l'auxiliaire **être**, donc les participes passés de ces verbes prennent l'accord (e, s, es) selon le sujet.

4- Verbes en -er :

Aller, abaisser, arriver, aimer, acheter, abandonner, manger

5- Verbes en -ir :

Agir, abasourdir, aigrir, accomplir, affaiblir, acquérir, affermir, mourir

6- Verbes en -re :

Abattre, admettre, mettre, prendre, être, vivre, boire, plaire, croire, abstraire

7- Verbes en -oir :

Avoir, pleuvoir, pouvoir, vouloir, voir

Avec l'auxiliaire être   (naître)

Naître وَلَد

Indicatif			
Présent	**Passé Composé**	**Imparfait**	**Plus-que-parfait**
Je nais	Je suis né, e	Je naissais	J'étais né, e
Tu nais	Tu es né, e	Tu naissais	Tu étais né, e
Il/elle naît	Il/elle est né, e	Il/elle naissait	Il/elle était né, e
Nous naissons	Nous sommes nés, es	Nous naissions	Nous étions nés, es
Vous naissez	Vous êtes nés, es	Vous naissiez	Vous étiez nés, es
Ils/elles naissent	Ils/elles sont nés, es	Ils/elles naissaient	Ils/elles étaient nés, **es**

Passé Simple	**Future Simple**	**Future Antérieur**
Je naquis	Je naîtrai	Je serai né, e
Tu naquis	Tu naîtras	Tu seras né, e
Il/elle naquit	Il/elle naîtra	Il/elle sera né, e
Nous naquîmes	Nous naîtrons	Nous serons nés, es
Vous naquites	Vous naîtrez	Vous serez nés, es
Ils/elles naquirent	Ils/elles naîtront	Ils/elles seront nés, **es**

Conditionnel		Subjonctif
Présent	**Passé**	**Présent**
Je naîtrais	Je serais né, e	que je naisse
Tu naîtrais	Tu serais né, e	que tu naisses
Il/elle naîtrait	Il/elle serait né, e	qu'il/qu'elle naisse
Nous naîtrions	Nous serions nés, es	que nous naissions
Vous naîtriez	Vous seriez nés, es	que vous naissiez
Ils/elles naîtraient	Ils/elles seraient nés, **es**	qu'ils/qu'elles naissent

Impératif	Infinitif	Participe	Gérondif
Présent	**Présent**	**Présent**	
nais	naître	naissant	en naissant
naissons	**Passé**	**Passé**	
naissez	être né, e	né, e, s, es	

Remarque:

Verbes ayant la même conjugaison: *naître, renaître.*

2- Avec l'auxiliaire avoir (*Faire*)

Faire عمل، فعل، أدى

Indicatif			
Présent	**Passé Composé**	**Imparfait**	**Plus-que-parfait**
Je fais	J'ai fait	Je faisais	J'avais fait
Tu fais	Tu as fait	Tu faisais	Tu avais fait
Il/elle fait	Il/elle a fait	Il/elle faisait	Il/elle avait fait
Nous faisons	Nous avons fait	Nous faisions	Nous avions fait
Vous faites	Vous avez fait	Vous faisiez	Vous aviez fait
Ils/elles font	Ils/elles ont fait	Ils/elles faisaient	Ils/elles avaient fait
Passé Simple	**Future Simple**	**Future Antérieur**	
Je fis	Je ferai	J'aurai fait	
Tu fis	Tu feras	Tu auras fait	
Il/elle fit	Il/elle fera	Il/elle aura fait	
Nous fîmes	Nous ferons	Nous aurons fait	
Vous fîtes	Vous ferez	Vous aurez fait	
Ils/elles firent	Ils/elles feront	Ils/elles auront fait	

Conditionnel		Subjonctif
Présent	**Passé**	**Présent**
Je ferais	J'aurais fait	que je fasse
Tu ferais	Tu aurais fait	que tu fasses
Il/elle ferait	Il/elle aurait fait	qu'il/qu'elle fasse
Nous ferions	Nous aurions fait	que nous fassions
Vous feriez	Vous auriez fait	que vous fassiez
Ils/elles feraient	Ils/elles auraient fait	qu'ils/qu'elles fassent

Impératif	Infinitif	Participe	Gérondif
Présent	**Présent**	**Présent**	
fais	faire	faisant	en faisant
faisons	**Passé**	**Passé**	
faites	avoir fait	fait	

Remarque:

- Ce verbe se conjugué avec l'auxiliaire avoir.

- Verbes ayant la même conjugaison: *contrefaire, défaire, faire, refaire, satisfaire.*

3- Conjugaison à la forme pronominale (se reposer, s'absenter.

Se reposer   استراح

Indicatif			

Présent	Passé Composé	Imparfait	Plus-que-parfait
Je me repose	Je me suis reposé, e	Je me reposais	Je m'étais reposé, e
Tu te reposes	Tu t'es reposé, e	Tu te reposais	Tu t'étais reposé, e
Il/elle se repose	Il/elle s'est reposé, e	Il/elle se reposait	Il/elle s'était reposé, e
Nous nous reposons	Nous nous sommes reposés, es	Nous nous reposions	Nous nous étions reposés, es
Vous vous reposez	Vous vous êtes reposés, es	Vous vous reposiez	Vous vous étiez reposés, es
Ils/elles ont reposent	Ils/elles se sont reposés, es	Ils/elles se reposaient	Ils/elles s'étaient reposés, s, es

Passé Simple	Future Simple	Future Antérieur
Je me reposai	Je me reposerai	Je me serai reposé, e
Tu te reposas	Tu te reposeras	Tu te seras reposé, e
Il/elle se reposa	Il/elle se reposera	Il/elle se sera reposé, e
Nous nous reposâmes	Nous nous reposerons	Nous nous serons reposés, es
Vous vous reposâtes	Vous vous reposerez	Vous vous serez reposés, es
Ils/elles se reposèrent	Ils/elles se reposeront	Ils/elles se seront reposés, es

Conditionnel		Subjonctif
Présent	**Passé**	**Présent**
Je me reposerais	Je me serais reposé, e	que je me repose
Tu te reposerais	Tu te serais reposé, e	que tu te reposes
Il/elle se reposerait	Il/elle se serait reposé, e	qu'il/qu'elle se repose
Nous nous reposerions	Nous nous serions reposés, es	que nous nous reposions
Vous vous reposeriez	Vous vous seriez reposés, es	que vous vous reposiez
Ils/elles se reposeraient	Ils/elles **se** seraient reposés, es	qu'ils/qu'elles **se** reposent

Impératif	Infinitif	Participe	Gérondif
Présent	**Présent**	**Présent**	
repose-toi	se reposer	se reposant	en se reposant
reposons-nous	**Passé**	**Passé**	
reposez-vous	s'être reposé, e	reposé, e, s, es	

S'absenter تغيب

Indicatif			
Présent	**Passé Composé**	**Imparfait**	**Plus-que-parfait**
Je m'absente	Je me suis absenté, e	Je m'absentais	Je m'étais absenté, e
Tu t'absentes	Tu t'es absenté, e	Tu t'absentais	Tu t'étais absenté, e
Il/elle s'absente	Il/Elle s'est absenté, e	Il/Elle s'absentait	Il/Elle s'était absenté, e
Nous nous absentons	Nous nous sommes absentés, es	Nous nous absentions	Nous nous étions absentés, es
Vous vous absentez	Vous vous êtes absentés, es	Vous vous absentiez	Vous vous étiez absentés, es
Ils/elles s'absentent	Ils/Elles se sont absentés, es	Ils/Elles s'absentaient	Ils/Elles s'étaient absentés, es

Passé Simple	**Future Simple**	**Future Antérieur**
Je m'absentai	Je m'absenterai	Je me serai absenté, e
Tu t'absentas	Tu t'absenteras	Tu te seras absenté, e
Il/Elle s'absenta	Il/Elle s'absentera	Il/Elle se sera absenté, e
Nous nous absentâmes	Nous nous absenterons	Nous nous serons absentés, es
Vous vous absentâtes	Vous vous absenterez	Vous vous serez absentés, es
Ils/Elles s'absentèrent	Ils/Elles s'absenteront	Ils/Elles se seront absentés, es

Conditionnel		Subjonctif
Présent	**Passé**	**Présent**
Je m'absenterais	Je me serais absenté, e	que je m'absente
Tu t'absenterais	Tu te serais absenté, e	que tu t'absentes
Il/Elle s'absenterait	Il/Elle se serait absenté, e	qu'il/elle s'absente
Nous nous absenterions	Nous nous serions absentés, es	que nous nous absentions
Vous vous absenteriez	Vous vous seriez absentés, es	que vous vous absentiez
Ils/Elles s'absenteraient	Ils/Elles se seraient absentés, es	qu'ils/elles s'absentent

Impératif	Infinitif	Participe	Gérondif
Présent	**Présent**	**Présent**	
absente-toi	s'absenter	absentant	en absentant
absentons-nous	**Passé**	**Passé**	
absentez-vous	s'être absenté, e	absenté, e, s, es	

Remarque:

Ce verbe est conjugué avec l'auxiliaire être.

4- verbes en -er :

Aller, abaisser, arriver, aimer, acheter, absenter, abandonner, manger

Aller ذهب

Indicatif			
Présent	**Passé Composé**	**Imparfait**	**Plus-que-parfait**
Je vais	Je suis allé, e	J'allais	J'étais allé, e
Tu vas	Tu as allé, e	Tu allais	Tu étais allé, e
Il/Elle va	Il/Elle est allé, e	Il/Elle allait	Il/Elle était allé, e
Nous allons	Nous sommes allés, es	Nous allions	Nous étions allés, es
Vous allez	Vous êtes allés, es	Vous alliez	Vous étiez allés, es
Ils/Elles vont	Ils/Elles ont allés, es	Ils/Elles allaient	Ils/Elles étaient allés, es

Passé Simple			
J'allai			
Tu allas		**Future Simple**	**Future Antérieur**
Il/Elle alla		J'irai	Je serai allé, e
Nous allâmes		Tu iras	Tu seras allé, e
Vous allâtes		Il/Elle ira	Il/Elle sera allé, e
Ils/Elles allèrent		Nous irons	Nous serons allés, es
		Vous irez	Vous serez allés, es
		Ils/Elles iront	Ils/Elles seront allés, es

Conditionnel		Subjonctif
Présent	**Passé**	**Présent**
J'irais	Je serais allé, e	que j'aille
Tu irais	Tu serais allé, e	que tu ailles
Il/Elle irait	Il/Elle serait allé, e	qu'il/elle aille
Nous irions	Nous serions allés, es	que nous allions
Vous iriez	Vous seriez allés, es	que vous alliez
Ils/Elles iraient	Ils/Elles seraient allés, es	qu'ils/elles aillent

Impératif	Infinitif	Participe	Gérondif
Présent	**Présent**	**Présent**	
va	aller	allant	En allant
allons	**Passé**	**Passé**	
allez	être allé, e	allé, e, s, es	

Remarque:

Ce verbe est conjugué avec l'auxiliaire *être*.

Abaisser خفض، أنزِل

Indicatif			
Présent	**Passé Composé**	**Imparfait**	**Plus-que-parfait**
J'abaisse	J'ai abaissé	J'abaissais	J'avais abaissé
Tu abaisses	Tu as abaissé	Tu abaissais	Tu avais abaissé
Il/Elle abaisse	Il/Elle a abaissé	Il/Elle abaissait	Il/Elle avait abaissé
Nous abaissons	Nous avons abaissé	Nous abaissions	Nous avions abaissé
Vous abaissez	Vous avez abaissé	Vous abaissiez	Vous aviez abaissé
Ils/Elles abaissent	Ils/Elles ont abaissé	Ils/Elles abaissaient	Ils/Elles avaient abaissé
Passé Simple	**Future Simple**	**Future Antérieur**	
J'abaissai	J'abaisserai	J'aurai abaissé	
Tu abaissas	Tu abaisseras	Tu auras abaissé	
Il/Elle abaissa	Il/Elle abaissera	Il/Elle aura abaissé	
Nous abaissâmes	Nous abaisserons	Nous aurons abaissé	
Vous abaissâtes	Vous abaisserez	Vous aurez abaissé	
Ils/Elles abaissèrent	Ils/Elles abaisseront	Ils/Elles auront abaissé	

Conditionnel		Subjonctif
Présent	**Passé**	**Présent**
J'abaisserais	J'aurais abaissé	que j'abaisse
Tu abaisserais	Tu aurais abaissé	que tu abaisses
Il/Elle abaisserait	Il/Elle aurait abaissé	qu'il/elle abaisse
Nous abaisserions	Nous aurions abaissé	que nous abaissions
Vous abaisseriez	Vous auriez abaissé	que vous abaissiez
Ils/Elle abaisseraient	Ils/Elles auraient abaissé	qu'ils/elles abaissent

Impératif	Infinitif	Participe	Gérondif
Présent	**Présent**	**Présent**	
abaisse	abaisser	abaissant	
abaissons	**Passé**	**Passé**	en arrivant
abaissez	avoir abaissé	abaissé	

Remarque:

Ce verbe est conjugué avec l'auxiliaire *avoir*.

Arriver   وصَل

Indicatif			
Présent	**Passé Composé**	**Imparfait**	**Plus-que-parfait**
J'arrive	Je suis arrivé, e	J'arrivais	J'étais arrivé, e
Tu arrives	Tu es arrivé, e	Tu arrivais	Tu étais arrivé, e
Il/elle arrive	Il/elle est arrivé, e	Il/elle arrivait	Il/elle était arrivé, e
Nous arrivons	Nous sommes arrivés, es	Nous arrivions	Nous étions arrivés, es
Vous arrivez	Vous êtes arrivés, es	Vous arriviez	Vous étiez arrivés, es
Ils/elles arrivent	Ils/elles sont arrivés, es	Ils/elles arrivaient	Ils/elles étaient arrivés, es
Passé Simple	**Future Simple**	**Future Antérieur**	
J'arrivai	J'arriverai	Je serai arrivé, e	
Tu arrivas	Tu arriveras	Tu seras arrivé, e	
Il/elle arriva	Il/elle arrivera	Il/elle sera arrivé, e	
Nous arrivâmes	Nous arriverons	Nous serons arrivés, es	
Vous arrivâtes	Vous arriverez	Vous serez arrivés, es	
Ils/elles arrivèrent	Ils/elles arriveront	Ils/elles seront arrivés, es	

Conditionnel		Subjonctif
Présent	**Passé**	**Présent**
J'arriverais	Je serais arrivé	que j'arrive
Tu arriverais	Tu serais arrivé	que tu arrives
Il/elle arriverait	Il/elle serait arrivé	qu'il/qu'elle arrive
Nous arriverions	Nous serions arrivés, es	que nous arrivions
Vous arriveriez	Vous seriez arrivés, es	que vous arriviez
Ils/elles arriveraient	Ils/elles seraient arrivés, es	qu'ils/qu'elles arrivent

Impératif	Infinitif	Participe	Gérondif
Présent	**Présent**	**Présent**	
arrive	arriver	arrivant	
			en arrivant
arrivons	**Passé**	**Passé**	
arrivez	être arrivé, e	arrivé, e, s, es	

Remarque:

Ce verbe est conjugué avec l'auxiliaire *être*.

Aimer   أحبَ

Indicatif			
Présent	**Passé Composé**	**Imparfait**	**Plus-que-parfait**
J'aime	J'ai aimé	J'aimais	J'avais aimé
Tu aimes	Tu as aimé	Tu aimais	Tu avais aimé
Il/Elle aime	Il/Elle a aimé	Il/Elle aimait	Il/Elle avait aimé
Nous aimons	Nous avons aimé	Nous aimions	Nous avions aimé
Vous aimez	Vous avez aimé	Vous aimiez	Vous aviez aimé
Ils/Elles aiment	Ils/Elles ont aimé	Ils/Elles aimaient	Ils/Elles avaient aimé
Passé Simple	**Future Simple**	**Future Antérieur**	
J'aimai	J'aimerai	J'aurai aimé	
Tu aimas	Tu aimeras	Tu auras aimé	
Il/Elle aima	Il/Elle aimera	Il/Elle aura aimé	
Nous aimâmes	Nous aimerons	Nous aurons aimé	
Vous aimâtes	Vous aimerez	Vous aurez aimé	
Ils/Elles aimèrent	Ils/Elles aimeront	Ils/Elles auront aimé	

Conditionnel		Subjonctif
Présent	**Passé**	**Présent**
J'aimerais	J'aurais aimé	que j'aime
Tu aimerais	Tu aurais aimé	que tu aimes
Il/Elle aimerait	Il/Elle aurait aimé	qu'il/elle aime
Nous aimerions	Nous aurions aimé	que nous aimions
Vous aimeriez	Vous auriez aimé	que vous aimiez
Ils/Elles aimeraient	Ils/Elles auraient aimé	qu'ils/elles aiment

Impératif	Infinitif	Participe	Gérondif
Présent	**Présent**	**Présent**	
aime	aimer	aimant	
			en aimant
aimons	**Passé**	**Passé**	
aimez	avoir aimer	aimé	

Acheter اشترى

Indicatif			
Présent	**Passé Composé**	**Imparfait**	**Plus-que-parfait**
J'achète	J'ai acheté	J'achetais	J'avais acheté
Tu achètes	Tu as acheté	Tu achetais	Tu avais acheté
Il/Elle achète	Il/Elle a acheté	Il/Elle achetait	Il/Elle avait acheté
Nous achetons	Nous avons acheté	Nous achetions	Nous avions acheté
Vous achetez	Vous avez acheté	Vous achetiez	Vous aviez acheté
Ils/Elles achètent	Ils/Elles ont acheté	Ils/Elles achetaient	Ils/Elles avaient acheté

Passé Simple	**Future Simple**	**Future Antérieur**
J'achetai	J'achèterai	J'aurai acheté
Tu achetas	Tu achèteras	Tu auras acheté
Il/Elle acheta	Il/Elle achètera	Il/Elle aura acheté
Nous achetâmes	Nous achèterons	Nous aurons acheté
Vous achetâtes	Vous achèterez	Vous aurez acheté
Ils/Elles achetèrent	Ils/Elles achèteront	Ils/Elles auront acheté

Conditionnel		Subjonctif
Présent	**Passé**	**Présent**
J'achèterais	J'aurais acheté	que j'achète
Tu achèterais	Tu aurais acheté	que tu achètes
Il/Elle achèterait	Il/Elle aurait acheté	qu'il/elle achète
Nous achèterions	Nous aurions acheté	que nous achetions
Vous achèteriez	Vous auriez acheté	que vous achetiez
Ils/Elles achèteraient	Ils/Elles auraient acheté	qu'ils/elles achètent

Impératif	Infinitif	Participe	Gérondif
Présent	**Présent**	**Présent**	
achète	acheter	achetant	en achetant
achetons	**Passé**	**Passé**	
achetez	avoir acheté	acheté	

Indicatif			
Présent	**Passé Composé**	**Imparfait**	
J'abandonne	J'ai abandonné	J'abandonnais	**Plus-que-parfait**
Tu abandonnes	Tu as abandonné	Tu abandonnais	J'avais abandonné
Il/Elle abandonne	Il/Elle a abandonné	Il/Elle abandonnait	Tu avais abandonné
Nous abandonnons	Nous avons abandonné	Nous abandonnions	Il/Elle avait abandonné
Vous abandonnez	Vous avez abandonné	Vous abandonniez	Nous avions abandonné
Ils/Elles abandonnent	Ils/Elles ont abandonné	Ils/Elles abandonnaient	Vous aviez abandonné
			Ils/Elles avaient abandonné
Passé Simple	**Future Simple**	**Future Antérieur**	
J'abandonnai	J'abandonnerai	J'aurai abandonné	
Tu abandonnas	Tu abandonneras	Tu auras abandonné	
Il/Elle abandonna	Il/Elle abandonnera	Il/Elle aura abandonné	
Nous abandonnâmes	Nous abandonnerons	Nous aurons abandonné	
Vous abandonnâtes	Vous abandonnerez	Vous aurez abandonné	
Ils/Elles abandonnèrent	Ils/Elles abandonneront	Ils/Elles auront abandonné	

Conditionnel		Subjonctif
Présent	**Passé**	**Présent**
J'abandonnerais	J'aurais abandonné	que j'abandonne
Tu abandonnerais	Tu aurais abandonné	que tu abandonnes
Il/Elle abandonnerait	Il/Elle aurait abandonné	qu'il/elle abandonne
Nous abandonnerions	Nous aurions abandonné	que nous abandonnions
Vous abandonneriez	Vous auriez abandonné	que vous abandonniez
Ils/Elles abandonneraient	Ils/Elles auraient abandonné	qu'ils/elles abandonnent

Impératif	Infinitif	Participe	Gérondif
Présent	**Présent**	**Présent**	
abandonne	abandonner	abandonnant	En
abandonnons	**Passé**	**Passé**	abandonnant
abandonnez	avoir abandonner	abandonné	

Remarque:

Ce verbe est conjugué avec l'auxiliaire avoir.

Manger أكل

Indicatif			
Présent	**Passé Composé**	**Imparfait**	**Plus-que-parfait**
Je mange	J'ai mangé	Je mangeais	J'avais mangé
Tu manges	Tu as mangé	Tu mangeais	Tu avais mangé
Il/elle mange	Il/elle a mangé	Il/elle mangeait	Il/elle avait mangé
Nous mangeons	Nous avons mangé	Nous mangions	Nous avions mangé
Vous mangez	Vous avez mangé	Vous mangiez	Vous aviez mangé
Ils/elles **mangent**	Ils/elles **ont** mangé	Ils/elles **mangeaient**	Ils/elles **avaient** mangé

Passé Simple	**Future Simple**	**Future Antérieur**	
Je mangeai	Je mangerai	J'aurai mangé	
Tu mangeas	Tu mangeras	Tu auras mangé	
Il/elle mangea	Il/elle mangera	Il/elle aura mangé	
Nous mangeâmes	Nous mangerons	Nous aurons mangé	
Vous mangeâtes	Vous mangerez	Vous aurez mangé	
Ils/elles **mangèrent**	Ils/elles **mangeront**	Ils/elles **auront** mangé	

Conditionnel		Subjonctif
Présent		
Je mangerais	**Passé**	**Présent**
Tu mangerais	J'aurais mangé	que je mange
Il/elle mangerait	Tu aurais mangé	que tu manges
Nous mangerions	Il/elle aurait mangé	qu'il/qu'elle mange
Vous mangeriez	Nous aurions mangé	que nous mangions
Ils/elles	Vous auriez mangé	que vous mangiez
mangeraient	Ils/elles **auraient** mangé	qu'ils/qu'elles **mangent**

Impératif	Infinitif	Participe	Gérondif
Présent	**Présent**	**Présent**	
mange	manger	mangeant	
			en mangeant
mangeons	**Passé**	**Passé**	
mangez	avoir mangé	mangé	

5- verbes en -ir :

Agir, abasourdir, aigrir, accomplir, affaiblir, acquérir, affermir, mourir

Agir تصرف، فعل

Indicatif			
Présent	**Passé Composé**	**Imparfait**	**Plus-que-parfait**
J'agis	J'ai agi	J'agissais	J'avais agi
Tu agis	Tu as agi	Tu agissais	Tu avais agi
Il/Elle agit	Il/Elle a agi	Il/Elle agissait	Il/Elle avait agi
Nous agissons	Nous avons agi	Nous agissions	Nous avions agi
Vous agissez	Vous avez agi	Vous agissiez	Vous aviez agi
Ils/Elles agissent	Ils/Elles ont agi	Ils/Elles agissaient	Ils/Elles avaient agi
Passé Simple	**Future Simple**	**Future Antérieur**	
J'agis	J'agirai	J'aurai agi	
Tu agis	Tu agiras	Tu auras agi	
Il/Elle agit	Il/Elle agira	Il/Elle aura agi	
Nous agîmes	Nous agirons	Nous aurons agi	
Vous agîtes	Vous agirez	Vous aurez agi	
Ils/Elles agirent	Ils/Elles agiront	Ils/Elles auront agi	

Conditionnel		Subjonctif
Présent	**Passé**	**Présent**
J'agirais	J'aurais agi	que j'agisse
Tu agirais	Tu aurais agi	que tu agisses
Il/Elle agirait	Il/Elle aurait agi	qu'il/elle agisse
Nous agirions	Nous aurions agi	que nous agissions
Vous agiriez	Vous auriez agi	que vous agissiez
Ils/Elles agiraient	Ils/Elles auraient agi	qu'ils/elles agissent

Impératif	Infinitif	Participe	Gérondif
Présent	**Présent**	**Présent**	
agis	agir	agissant	En agissant
agissons	**Passé**	**Passé**	
agissez	avoir agi	agi	

Remarque:

Ce verbe est conjugué avec l'auxiliaire avoir.

Abasourdir أصمَ، أدهش

Indicatif			
Présent	**Passé Composé**	**Imparfait**	**Plus-que-parfait**
J'abasourdis	J'ai abasourdi	J'abasourdissais	J'avais abasourdi
Tu abasourdis	Tu as abasourdi	Tu abasourdissais	Tu avais abasourdi
Il/Elle abasourdit	Il/Elle a abasourdi	Il/Elle abasourdissait	Il/Elle avait abasourdi
Nous abasourdissons	Nous avons abasourdi	Nous abasourdissions	Nous avions abasourdi
Vous abasourdissez	Vous avez abasourdi	Vous abasourdissiez	Vous aviez abasourdi
Ils/Elles abasourdissent	Ils/Elles ont abasourdi	Ils/Elles abasourdissaient	Ils/Elles avaient abasourdi
Passé Simple	**Future Simple**	**Future Antérieur**	
J'abasourdis	J'abasourdirai	J'aurai abasourdi	
Tu abasourdis	Tu abasourdiras	Tu auras abasourdi	
Il/Elle abasourdit	Il/Elle abasourdira	Il/Elle aura abasourdi	
Nous abasourdimes	Nous abasourdirons	Nous aurons abasourdi	
Vous abasourdites	Vous abasourdirez	Vous aurez abasourdi	
Ils/Elles abasourdirent	Ils/Elles abasourdiront	Ils/Elles auront abasourdi	

Conditionnel		subjonctif
Présent	**Passé**	**Présent**
J'abasourdirais	J'aurais abasourdi	que j'abasourdisse
Tu abasourdirais	Tu aurais abasourdi	que tu abasourdisses
Il/Elle abasourdirait	Il/Elle aurait abasourdi	qu'il/elle abasourdisse
Nous abasourdirions	Nous aurions abasourdi	que nous abasourdissions
Vous abasourdiriez	Vous auriez abasourdi	que vous abasourdissiez
Ils/Elles abasourdiraient	Ils/Elles auraient abasourdi	qu'ils/elles abasourdissent

Impératif	Infinitif	Participe	Gérondif
Présent	**Présent**	**Présent**	
abasourdis	abasourdir	abasourdissant	En abasourdissant
abasourdissons	**Passé**	**Passé**	
abasourdissez	avoir abasourdi	abasourdi	

Remarque:

Ce verbe est conjugué avec l'auxiliaire avoir.

Indicatif			
Présent	**Passé Composé**	**Imparfait**	**Plus-que-parfait**
J'aigris	J'ai aigri	J'aigrissais	J'avais aigri
Tu aigris	Tu as aigri	Tu aigrissais	Tu avais aigri
Il/Elle aigrit	Il/Elle a aigri	Il/Elle aigrissait	Il/Elle avait aigri
Nous aigrissons	Nous avons aigri	Nous aigrissions	Nous avions aigri
Vous aigrissez	Vous avez aigri	Vous aigrissiez	Vous aviez aigri
Ils/Elles aigrissent	Ils/Elles ont aigri	Ils/Elles aigrissaient	Ils/Elles avaient aigri
Passé Simple	**Future Simple**	**Future Antérieur**	
J'aigris	J'aigrirai	J'aurai aigri	
Tu aigris	Tu aigriras	Tu auras aigri	
Il/Elle aigrit	Il/Elle aigrira	Il/Elle aura aigri	
Nous aigrîmes	Nous aigrirons	Nous aurons aigri	
Vous aigrîtes	Vous aigrirez	Vous aurez aigri	
Ils/Elles aigrirent	Ils/Elles aigriront	Ils/Elles auront aigr	

Conditionnel		Subjonctif
Présent	**Passé**	**Présent**
J'aigrirais	J'aurais aigri	que j'aigrisse
Tu aigrirais	Tu aurais aigri	que tu aigrisses
Il/Elle aigrirait	Il/Elle aurait aigri	qu'il/elle aigrisse
Nous aigririons	Nous aurions aigri	que nous aigrissions
Vous aigririez	Vous auriez aigri	que vous aigrissiez
Ils/Elles aigriraient	Ils/Elles auraient aigri	qu'ils/elles aigrissent

Impératif	Infinitif	Participe	Gérondif
Présent	**Présent**	**Présent**	
aigris	aigrir	aigrissant	
			en aigrissant
aigrissons	**Passé**	**Passé**	
aigrissez	avoir aigri	aigri	

Remarque:

Ce verbe est conjugué avec l'auxiliaire avoir.

Accomplir أكمل، أتم

Indicatif			
Présent	**Passé Composé**	**Imparfait**	**Plus-que-parfait**
J'accomplis	J'ai accompli	J'accomplissais	J'avais accompli
Tu accomplis	Tu as accompli	Tu accomplissais	Tu avais accompli
Il/Elle accomplit	Il/Elle a accompli	Il/Elle accomplissait	Il/Elle avait accompli
Nous accomplissons	Nous avons accompli	Nous accomplissions	Nous avions accompli
Vous accomplissez	Vous avez accompli	Vous accomplissiez	Vous aviez accompli
Ils/Elles accomplissent	Ils/Elles ont accompli	Ils/Elles accomplissaient	Ils/Elles avaient accompli
Passé Simple	**Future Simple**	**Future Antérieur**	
J'accomplis	J'accomplirai	J'aurai accompli	
Tu accomplis	Tu accompliras	Tu auras accompli	
Il/Elle accomplit	Il/Elle accomplira	Il/Elle aura accompli	
Nous accomplimes	Nous accomplirons	Nous aurons accompli	
Vous accomplites	Vous accomplirez	Vous aurez accompli	
Ils/Elles accomplirent	Ils/Elles accompliront	Ils/Elles auront accompli	

Conditionnel		Subjonctif
Présent	**Passé**	**Présent**
J'accomplirais	J'aurais accompli	que j'accomplisse
Tu accomplirais	Tu aurais accompli	que tu accomplisses
Il/Elle accomplirait	Il/Elle aurait accompli	qu'il/elle accomplisse
Nous accomplirions	Nous aurions accompli	que nous accomplissions
Vous accompliriez	Vous auriez accompli	que vous accomplissiez
Ils/Elles accompliraient	Ils/Elles auraient accompli	qu'ils/elles accomplissent

Impératif	Infinitif	Participe	Gérondif
Présent	**Présent**	**Présent**	
accomplis	accomplir	accomplissant	
			en accomplissant
accomplissons	**Passé**	**Passé**	
accomplissez	avoir accompli	accompli	

Remarque:

Ce verbe est conjugué avec l'auxiliaire avoir.

Indicatif			
Présent	**Passé Composé**	**Imparfait**	**Plus-que-parfait**
J'affaiblis	J'ai affaibli	J'affaiblissais	J'avais affaibli
Tu affaiblis	Tu as affaibli	Tu affaiblissais	Tu avais affaibli
Il/Elle affaiblit	Il/Elle a affaibli	Il/Elle affaiblissait	Il/Elle avait affaibli
Nous affaiblissons	Nous avons affaibli	Nous affaiblissions	Nous avions affaibli
Vous affaiblissez	Vous avez affaibli	Vous affaiblissiez	Vous aviez affaibli
Ils/Elles affaiblissent	Ils/Elles ont affaibli	Ils/Elles affaiblissaient	Ils/Elles avaient affaibli
Passé Simple	**Future Simple**	**Future Antérieur**	
J'affaiblis	J'affaiblirai	J'aurai affaibli	
Tu affaiblis	Tu affaibliras	Tu auras affaibli	
Il/Elle affaiblit	Il/Elle affaiblira	Il/Elle aura affaibli	
Nous affaiblimes	Nous affaiblirons	Nous aurons affaibli	
Vous affaiblites	Vous affaiblirez	Vous aurez affaibli	
Ils/Elles affaiblirent	Ils/Elles affaibliront	Ils/Elles auront affaibli	

Conditionnel		Subjonctif
Présent	**Passé**	**Présent**
J'affaiblirais	J'aurais affaibli	que j'affaiblisse
Tu affaiblirais	Tu aurais affaibli	que tu affaiblisses
Il/Elle affaiblirait	Il/Elle aurait affaibli	qu'il/elle affaiblisse
Nous affaiblirions	Nous aurions affaibli	que nous affaiblissions
Vous affaibliriez	Vous auriez affaibli	que vous affaiblissiez
Ils/Elles affaibliraient	Ils/Elles auraient affaibli	qu'ils/elles affaiblissent

Impératif	Infinitif	Participe	Gérondif
Présent	**Présent**	**Présent**	
affaiblis	affaiblir	affaiblissant	En affaiblissant
affaiblissions	**Passé**	**Passé**	
affaiblissez	avoir affaibli	affaibli	

Remarque:

Ce verbe est conjugué avec l'auxiliaire avoir.

Indicatif			
Présent	**Passé Composé**	**Imparfait**	**Plus-que-parfait**
J'acquiers	J'ai acquis	J'acquérais	J'avais acquis
Tu acquiers	Tu as acquis	Tu acquérais	Tu avais acquis
Il/Elle acquiert	Il/Elle a acquis	Il/Elle acquérait	Il/Elle avait acquis
Nous acquérons	Nous avons acquis	Nous acquérions	Nous avions acquis
Vous acquérez	Vous avez acquis	Vous acquériez	Vous aviez acquis
Ils/Elles acquièrent	Ils/Elles ont acquis	Ils/Elles acquéraient	Ils/Elles avaient acquis
Passé Simple	**Future Simple**		**Future Antérieur**
J'acquis	J'acquerrai		J'aurai acquis
Tu acquis	Tu acquerras		Tu auras acquis
Il/Elle acquit	Il/Elle acquerra		Il/Elle aura acquis
Nous acquîmes	Nous acquerrons		Nous aurons acquis
Vous acquîtes	Vous acquerrez		Vous aurez acquis
Ils/Elles acquirent	Ils/Elles acquerront		Ils/Elles auront acquis

Conditionnel		Subjonctif
Présent	**Passé**	**Présent**
J'acquerrais	J'aurais acquis	que j'acquière
Tu acquerrais	Tu aurais acquis	que tu acquières
Il/Elle acquerrait	Il/Elle aurait acquis	qu'il/elle acquière
Nous acquerrions	Nous aurions acquis	que nous acquérions
Vous acquerriez	Vous auriez acquis	que vous acquériez
Ils/Elles acquerraient	Ils/Elles auraient acquis	qu'ils/elles acquièrent

Impératif	Infinitif	Participe	Gérondif
Présent	**Présent**	**Présent**	
acquiers	acquérir	acquérant	En acquérant
acquérons	**Passé**	**Passé**	
acquérez	avoir acquis	acquis	

Remarque:

Ce verbe est conjugué avec l'auxiliaire avoir.

Indicatif			
Présent	**Passé Composé**	**Imparfait**	**Plus-que-parfait**
J'affermis	J'ai affermi	J'affermissais	J'avais affermi
Tu affermis	Tu as affermi	Tu affermissais	Tu avais affermi
Il/Elle affermit	Il/Elle a affermi	Il/Elle affermissait	Il/Elle avait affermi
Nous affermissons	Nous avons affermi	Nous affermissions	Nous avions affermi
Vous affermissez	Vous avez affermi	Vous affermissiez	Vous aviez affermi
Ils/Elles affermissent	Ils/Elles ont affermi	Ils/Elles affermissaient	Ils/Elles avaient affermi
Passé Simple			
J'affermis	**Future Simple**	**Future Antérieur**	
Tu affermis	J'affermirai	J'aurai affermi	
Il/Elle affermit	Tu affermiras	Tu auras affermi	
Nous affermîmes	Il/Elle affermira	Il/Elle aura affermi	
Vous affermîtes	Nous affermirons	Nous aurons affermi	
Ils/Elles affermirent	Vous affermirez	Vous aurez affermi	
	Ils/Elles affermiront	Ils/Elles auront affermi	

Conditionnel		Subjonctif
Présent	**Passé**	**Présent**
J'affermirais	J'aurais affermi	que j'affermisse
Tu affermirais	Tu aurais affermi	que tu affermisses
Il/Elle affermirait	Il/Elle aurait affermi	qu'il/elle affermisse
Nous affermirions	Nous aurions affermi	que nous affermissions
Vous affermiriez	Vous auriez affermi	que vous affermissiez
Ils/Elles affermiraient	Ils/Elles auraient affermi	qu'ils/elles affermissent

Impératif	Infinitif	Participe	Gérondif
Présent	**Présent**	**Présent**	
affermis	affermir	affermissant	en affermissant
affermissons	**Passé**	**Passé**	
affermissez	avoir affermi	affermi	

Mourir   مات

Indicatif			
Présent	**Passé Composé**	**Imparfait**	**Plus-que-parfait**
Je meurs	Je suis mort, e	Je mourais	J'étais mort, e
Tu meurs	Tu es mort, e	Tu mourais	Tu étais mort, e
Il/elle meurt	Il/elle est mort, e	Il/elle mourait	Il/elle était mort, e
Nous mourons	Nous sommes morts, es	Nous mourions	Nous étions morts, es
Vous mourez	Vous êtes morts, es	Vous mouriez	Vous étiez morts, es
Ils/elles meurent	Ils/elles sont mort**s, es**	Ils/elles mouraient	Ils/elles étaient morts, **es**

Passé Simple	**Future Simple**	**Future Antérieur**
Je mourus	Je mourrai	Je serai mort, e
Tu mourus	Tu mourras	Tu seras mort, e
Il/elle mourut	Il/elle mourra	Il/elle sera mort, e
Nous mourûmes	Nous mourrons	Nous serons morts, es
Vous mourûtes	Vous mourrez	Vous serez morts, es
Ils/elles moururent	Ils/elles mourront	Ils/elles seront mort**s, es**

Conditionnel		Subjonctif
Présent	**Passé**	**Présent**
Je mourrais	Je serais mort, e	que je meure
Tu mourrais	Tu serais mort, e	que tu meures
Il/elle	Il/elle serait mort, e	qu'il/qu'elle meure

mourrait		
Nous mourrions	Nous serions morts, es	que nous mourions
Vous mourriez	Vous seriez morts, es	que vous mouriez
Ils/elles mourraient	Ils/elles seront morts, **es**	qu'ils/qu'elles meurent

Impératif	Infinitif	Participe	Gérondif
Présent	**Présent**	**Présent**	
meurs	mourir	mourant	
mourons	**Passé**	**Passé**	en mourant
mourez	être mort, e	mort, e, s, es	

6- verbes en -re :

Abattre, admettre, mettre, prendre, être, vivre, boire, plaire, croire, abstraire.

Abattre ضرب

Indicatif			
Présent	**Passé Composé**	**Imparfait**	**Plus-que-parfait**
J'abats	J'ai abattu	J'abattais	J'avais abattu
Tu abats	Tu as abattu	Tu abattais	Tu avais abattu
Il/Elle abat	Il/Elle a abattu	Il/Elle abattait	Il/Elle avait abattu
Nous abattons	Nous avons abattu	Nous abattions	Nous avions abattu
Vous abattez	Vous avez abattu	Vous abattiez	Vous aviez abattu
Ils/Elles abattent	Ils/Elles ont abattu	Ils/Elles abattaient	Ils/Elles avaient abattu
Passé Simple	**Future Simple**	**Future Antérieur**	
J'abattis	J'abattrai	J'aurai abattu	
Tu abattis	Tu abattras	Tu auras abattu	
Il/Elle abattit	Il/Elle abattra	Il/Elle aura abattu	
Nous abattîmes	Nous abattrons	Nous aurons abattu	
Vous abattîtes	Vous abattrez	Vous aurez abattu	
Ils/Elles abattirent	Ils/Elles abattron	Ils/Elles auront abattu	

Conditionnel		Subjonctif
Présent	**Passé**	**Présent**
J'abattrais	J'aurais abattu	que j'abatte
Tu abattrais	Tu aurais abattu	que tu abattes
Il/Elle abattrait	Il/Elle aurait abattu	qu'il/elle abatte
Nous abattrions	Nous aurions abattu	que nous abattions
Vous abattriez	Vous auriez abattu	que vous abattiez
Ils/Elles abattraient	Ils/Elles auraient abattu	qu'ils/elles abattent

Impératif	Infinitif	Participe	Gérondif
Présent	**Présent**	**Présent**	
abats	abattre	abattant	En abattant
abattons	**Passé**	**Passé**	
abattez	avoir abattu	abattu	

Admettre

اعترف بـ، قبل، رضي

Indicatif			
Présent	**Passé Composé**	**Imparfait**	**Plus-que-parfait**
J'admets	J'ai admis	J'admettais	J'avais admis
Tu admets	Tu as admis	Tu admettais	Tu avais admis
Il/Elle admet	Il/Elle a admis	Il/Elle admettait	Il/Elle avait admis
Nous admettons	Nous avons admis	Nous admettions	Nous avions admis
Vous admettez	Vous avez admis	Vous admettiez	Vous aviez admis
Ils/Elles admettent	Ils/Elles ont admis	Ils/Elles admettaient	Ils/Elles avaient admis

Passé Simple	Future Simple	Future Antérieur	
Passé Simple	**Future Simple**	**Future Antérieur**	
J'admis	J'admettrai	J'aurai admis	
Tu admis	Tu admettras	Tu auras admis	
Il/Elle admit	Il/Elle admettra	Il/Elle aura admis	
Nous admîmes	Nous admettrons	Nous aurons admis	
Vous admîtes	Vous admettrez	Vous aurez admis	
Ils/Elles admirent	Ils/Elles admettront	Ils/Elles auront admis	

Conditionnel		Subjonctif
Présent		
J'admettrais		**Présent**
Tu admettrais	**Passé**	que j'admette
Il/Elle admettrait	J'aurais admis	que tu admettes
Nous admettrions	Tu aurais admis	qu'il/elle admette
Vous admettriez	Il/Elle aurait admis	que nous admettions
Ils/Elles admettraient	Nous aurions admis	que vous admettiez
	Vous auriez admis	qu'ils/elles admettent
	Ils/Elles auraient admis	

Impératif	Infinitif	Participe	Gérondif
Présent	**Présent**	**Présent**	
admets	admettre	admettant	
			En admettant
admettons	**Passé**	**Passé**	
admettez	avoir admis	admis	

Indicatif			
Présent	**Passé Composé**	**Imparfait**	**Plus-que-parfait**
Je mets	J'ai mis	Je mettais	J'avais mis
Tu mets	Tu as mis	Tu mettais	Tu avais mis
Il/elle met	Il/elle a mis	Il/elle mettait	Il/elle avait mis
Nous mettons	Nous avons mis	Nous mettions	Nous avions mis
Vous mettez	Vous avez mis	Vous mettiez	Vous aviez mis
Ils/elles mettent	Ils/elles ont mis	Ils/elles mettaient	Ils/elles avaient mis

Passé Simple	**Future Simple**	**Future Antérieur**
Je mis	Je mettrai	J'aurai mis
Tu mis	Tu mettras	Tu auras mis
Il/elle mit	Il/elle mettra	Il/elle aura mis
Nous mîmes	Nous mettrons	Nous aurons mis
Vous mîtes	Vous mettrez	Vous aurez mis
Ils/elles mirent	Ils/elles mettront	Ils/elles auront mis

Conditionnel		Subjonctif
Présent	**Passé**	**Présent**
Je mettrais	J'aurais mis	que je mette
Tu mettrais	Tu aurais mis	que tu mettes
Il/elle mettrait	Il/elle aurait mis	qu'il/qu'elle mette
Nous mettrions	Nous aurions mis	que nous mettions
Vous mettriez	Vous auriez mis	que vous mettiez
Ils/elles mettraient	Ils/elles auraient mis	qu'ils/qu'elles mettent

Impératif	Infinitif	Participe	Gérondif
Présent	**Présent**	**Présent**	
mets	mettre	mettant	
mettons	**Passé**	**Passé**	en mettant
mettez	avoir mis	mis	

Remarque:

Verbes ayant la même conjugaison: admettre, commettre, comprendre, mettre, démettre, émettre, omette, promettre, remettre, soumettre, transmettre.

Prendre أخذ، تناول

Indicatif			
Présent	**Passé Composé**	**Imparfait**	**Plus-que-parfait**
Je prends	J'ai pris	Je prenais	J'avais pris
Tu prends	Tu as pris	Tu prenais	Tu avais pris
Il/elle prend	Il/elle a pris	Il/elle prenait	Il/elle avait pris
Nous prenons	Nous avons pris	Nous prenions	Nous avions pris
Vous prenez	Vous avez pris	Vous preniez	Vous aviez pris
Ils/elles prennent	Ils/elles ont pris	Ils/elles prenaient	Ils/elles avaient pris

Passé Simple	**Future Simple**	**Future Antérieur**	
Je pris	Je prendrai	J'aurai pris	
Tu pris	Tu prendras	Tu auras pris	
Il/elle prit	Il/elle prendra	Il/elle aura pris	
Nous prîmes	Nous prendrons	Nous aurons pris	
Vous prîtes	Vous prendrez	Vous aurez pris	
Ils/elles prirent	Ils/elles prendront	Ils/elles auront pris	

Conditionnel		Subjonctif
Présent	**Passé**	**Présent**
Je prendrais	J'aurais pris	que je prenne
Tu prendrais	Tu aurais pris	que tu prennes
Il/elle prendrait	Il/elle aurait pris	qu'il/qu'elle prenne
Nous prendrions	Nous aurions pris	que nous prenions
Vous prendriez	Vous auriez pris	que vous preniez
Ils/elles prendraient	Ils/elles auraient pris	qu'ils/qu'elles prennent

Impératif	Infinitif	Participe	Gérondif
Présent	**Présent**	**Présent**	
pris	prendre	prenant	
prenons	**Passé**	**Passé**	en prenant
prenez	avoir pris	pris	

Remarque:

Verbes ayant la même conjugaison: apprendre, comprendre, prendre, entreprendre, s'éprendre, se méprendre, reprendre, surprendre.

Indicatif			
Présent	**Passé Composé**	**Imparfait**	**Plus-que-parfait**
Je suis	J'ai été	J'étais	J'avais été
Tu es	Tu as été	Tu étais	Tu avais été
Il/elle est	Il/elle a été	Il/elle était	Il/elle avait été
Nous sommes	Nous avons été	Nous étions	Nous avions été
Vous êtes	Vous avez été	Vous étiez	Vous aviez été
Ils/elles sont	Ils/elles ont été	Ils/elles étaient	Ils/elles avaient été

Passé Simple	**Future Simple**	**Future Antérieur**
Je fus	Je serai	J'aurai été
Tu fus	Tu seras	Tu auras été
Il/elle fut	Il/elle sera	Il/elle aura été
Nous fûmes	Nous serons	Nous aurons été
Vous fûtes	Vous serez	Vous aurez été
Ils/elles furent	Ils/elles seront	Ils/elles auront été

Conditionnel		Subjonctif
Présent	**Passé**	**Présent**
Je serai	J'aurais été	que je sois
Tu seras	Tu aurais été	que tu sois
Il/elle sera	Il/elle aurait été	qu'il/qu'elle soit
Nous serions	Nous aurions été	que nous soyons
Vous seriez	Vous auriez été	que vous soyez
Ils/elles seraient	Ils/elles auraient été	qu'ils/qu'elles soient

Impératif	Infinitif	Participe	Gérondif
Présent	**Présent**	**Présent**	
sois	être	étant	en étant
soyons	**Passé**	**Passé**	
soyez	avoir été	été	

Remarque:

Aux temps composés, le verbe **être** se conjugue avec l'auxiliaire **avoir**.

عاش، حيا Vivre

Indicatif			
Présent	**Passé Composé**	**Imparfait**	**Plus-que-parfait**
			J'avais vécu
Je vis	J'ai vécu	Je vivais	Tu avais vécu
			Il/elle avait vécu
Tu vis	Tu as vécu	Tu vivais	Nous avions vécu
			Vous aviez vécu
Il/elle vit	Il/elle a vécu	Il/elle vivait	Ils/elles avaient vécu
Nous vivons	Nous avons vécu	Nous vivions	
Vous vivez	Vous avez vécu	Vous viviez	
Ils/elles vivent	Ils/elles ont vécu	Ils/elles vivaient	

Passé Simple	**Future Simple**	**Future Antérieur**	
Je vécus	Je vivrai	J'aurai vécu	
Tu vécus	Tu vivras	Tu auras vécu	
Il/elle vécut	Il/elle vivra	Il/elle aura vécu	
Nous vécûmes	Nous vivrons	Nous aurons vécu	
Vous vécûtes	Vous vivrez	Vous aurez vécu	
Ils/elles vécurent	Ils/elles vivront	Ils/elles auront vécu	

Conditionnel		Subjonctif
Présent	**Passé**	**Présent**
Je vivrais	J'aurais vécu	que je vive
Tu vivrais	Tu aurais vécu	que tu vives
Il/elle vivrait	Il/elle aurait vécu	qu'il/qu'elle vive
		que nous vivions

Nous vivrions	Nous aurions vécu	que vous viviez
Vous vivriez	Vous auriez vécu	qu'ils/qu'elles vivent
Ils/elles vivraient	Ils/elles auraient vécu	

Impératif	Infinitif	Participe	Gérondif
Présent	**Présent**	**Présent**	
vis	vivre	vivant	en vivant
vivons	**Passé**	**Passé**	
vivez	avoir vécu	vécu	

Verbes ayant la même conjugaison: revivre, vivre, survivre.

Boire شَرِبَ

Indicatif			
Présent	**Passé Composé**	**Imparfait**	**Plus-que-parfait**
Je bois	J'ai bu	Je buvais	J'avais bu
Tu bois	Tu as bu	Tu buvais	Tu avais bu
Il/elle boit	Il/elle a bu	Il/elle buvait	Il/elle avait bu
Nous buvons	Nous avons bu	Nous buvions	Nous avions bu
Vous buvez	Vous avez bu	Vous buviez	Vous aviez bu
Ils/elles boivent	Ils/elles ont bu	Ils/elles buvaient	Ils/elles avaient bu

Passé Simple	**Future Simple**	**Future Antérieur**
Je bus	Je boirai	J'aurai bu
Tu bus	Tu boiras	Tu auras bu
Il/elle but	Il/elle boira	Il/elle aura bu
Nous bûmes	Nous boirons	Nous aurons bu
Vous bûtes	Vous boirez	Vous aurez bu
Ils/elles burent	Ils/elles boiront	Ils/elles auront bu

Conditionnel		Subjonctif
Présent	**Passé**	**Présent**
Je boirais	J'aurais bu	que je boive
Tu boirais	Tu aurais bu	que tu boives
Il/elle boirait	Il/elle aurait bu	qu'il/qu'elle boive
Nous boirions	Nous aurions bu	que nous buvions
Vous boiriez	Vous auriez bu	que vous buviez
Ils/elles boiraient	Ils/elles auraient bu	qu'ils/qu'elles boivent

Impératif	Infinitif	Participe	Gérondif
Présent	**Présent**	**Présent**	
bois	boire	buvant	
buvons	**Passé**	**Passé**	en buvant
buvez	avoir bu	avoir bu	

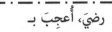
Indicatif			
Présent	**Passé Composé**	**Imparfait**	**Plus-que-parfait**
Je plais	J'ai plu	Je plaisais	J'avais plu
Tu plais	Tu as plu	Tu plaisais	Tu avais plu
Il/elle plaît	Il/elle a plu	Il/elle plaisait	Il/elle avait plu
Nous plaisons	Nous avons plu	Nous plaisions	Nous avions plu
Vous plaisez	Vous avez plu	Vous plaisiez	Vous aviez plu
Ils/elles plaisent	Ils/elles ont plu	Ils/elles plaisaient	Ils/elles avaient plu
Passé Simple	**Future Simple**	**Future Antérieur**	
Je plus	Je plairai	J'aurai plu	
Tu plus	Tu plairas	Tu auras plu	
Il/elle plut	Il/elle plaira	Il/elle aura plu	
Nous plûmes	Nous plairons	Nous aurons plu	
Vous plûtes	Vous plairez	Vous aurez plu	
Ils/elles plurent	Ils/elles plairont	Ils/elles auront plu	

Conditionnel		Subjonctif
Présent	**Passé**	**Présent**
Je plairais	J'aurais plu	que je plaise
Tu plairais	Tu aurais plu	que tu plaises
Il/elle plairait	Il/elle aurait plu	qu'il/qu'elle plaise
Nous plairions	Nous aurions plu	que nous plaisions
Vous plairiez	Vous auriez plu	que vous plaisiez
Ils/elles plairiez	Ils/elles auraient plu	qu'ils/qu'elles plaisent

Impératif	Infinitif	Participe	Gérondif
Présent	**Présent**	**Présent**	
plais	plaire	plaisant	
			en plaisant
plaisons	**Passé**	**Passé**	
plaisez	avoir plu	plu	

Verbes ayant la même conjugaison: se complaire, déplaire, plaire, taire.

Remarque:

Taire se conjugue comme plaire sauf au présent (il tait) et au participe passé (tu, tue).

Croire اعتقَدَ

Indicatif			
Présent	**Passé Composé**	**Imparfait**	**Plus-que-parfait**
Je crois	J'ai cru	Je croyais	J'avais cru
Tu crois	Tu as cru	Tu croyais	Tu avais cru
Il/elle croit	Il/elle a cru	Il/elle croyait	Il/elle avait cru
Nous croyons	Nous avons cru	Nous croyions	Nous avions cru
Vous croyez	Vous avez cru	Vous croyiez	Vous aviez cru
Ils/elles croient	Ils/elles ont cru	Ils/elles croyaient	Ils/elles avaient cru
Passé Simple	**Future Simple**	**Future Antérieur**	
Je crus	Je croirai	J'aurai cru	
Tu crus	Tu croiras	Tu auras cru	
Il/elle crut	Il/elle croira	Il/elle aura cru	
Nous crûmes	Nous croirons	Nous aurons cru	
Vous crûtes	Vous croirez	Vous aurez cru	
Ils/elles crurent	Ils/elles croiront	Ils/elles auront cru	

Conditionnel		Subjonctif
Présent	**Passé**	**Présent**
Je croirais	J'aurais cru	que je croie
Tu croirais	Tu aurais cru	que tu croies
Il/elle croirait	Il/elle aurait cru	qu'il/qu'elle croie
Nous croirions	Nous aurions cru	que nous croyions
Vous croiriez	Vous auriez cru	que vous croyiez
Ils/elles croiraient	Ils/elles auraient cru	qu'ils/qu'elles croient

Impératif	Infinitif	Participe	Gérondif
Présent	**Présent**	**Présent**	
crois	croire	croyant	
croyons	**Passé**	**Passé**	en croyant
croyez	avoir cru	cru	

Indicatif			
Présent	**Passé Composé**	**Imparfait**	**Plus-que-parfait**
J'abstrais	J'ai abstrait	J'abstrayais	J'avais abstrait
Tu abstrais	Tu as abstrait	Tu abstrayais	Tu avais abstrait
Il/Elle abstrait	Il/Elle a abstrait	Il/Elle abstrayait	Il/Elle avait abstrait
Nous abstrayons	Nous avons abstrait	Nous abstrayions	Nous avions abstrait
Vous abstrayez	Vous avez abstrait	Vous abstrayiez	Vous aviez abstrait
Ils/Elles abstraient	Ils/Elles ont abstrait	Ils/Elles abstrayaient	Ils/Elles avaient abstrait

Passé Simple	**Future Simple**	**Future Antérieur**
* Inusité	J'abstrairai	J'aurai abstrait
	Tu abstrairas	Tu auras abstrait
	Il/Elle abstraira	Il/Elle aura abstrait
	Nous abstrairons	Nous aurons abstrait
	Vous abstrairez	Vous aurez abstrait
	Ils/Elles abstrairont	Ils/Elles auront abstrait

Conditionnel		Subjonctif
Présent	**Passé**	**Présent**
J'abstrairais	J'aurais abstrait	que j'abstraie
Tu abstrairais	Tu aurais abstrait	que tu abstraies
Il/Elle abstrairait	Il/Elle aurait abstrait	qu'il/elle abstraie
Nous abstrairions	Nous aurions abstrait	que nous abstrayions
Vous abstrairiez	Vous auriez abstrait	que vous abstrayiez
Ils/Elles abstrairaient	Ils/Elles auraient	qu'ils/elles abstraient

Impératif	Infinitif	Participe	Gérondif
Présent	**Présent**	**Présent**	
abstrais	abstraire	abstrayant	
			en abstrayant
abstrayons	**Passé**	**Passé**	
abstrayez	avoir abstrait	abstrait	

7- verbes en -oir :

Avoir, pleuvoir, pouvoir, vouloir, voir

Avoir ملك، امتلك

Indicatif			
Présent	**Passé Composé**	**Imparfait**	**Plus-que-parfait**
J'ai	J'ai eu	J'avais	J'avais eu
Tu as	Tu as eu	Tu avais	Tu avais eu
Il/Elle a	Il/elle a eu	Il/Elle avait	Il/elle avait eu
Nous avons	Nous avons	Nous avions	Nous avions eu
Vous avez	Vous avez eu	Vous aviez	Vous aviez eu
Ils/Elles ont	Ils/Elles ont eu	Ils/elles avaient	Ils/elles avaient eu

Passé Simple	**Future Simple**	**Future Antérieur**
J'eus	J'aurai	J'aurai eu
Tu eus	Tu auras	Tu auras
il/elle eut	il/elle aura	il/elle aura
nous eûmes	nous aurons	nous aurons
vous eûtes	vous aurez	vous aurez
ils/elles eurent	ils/elles auront	ils/elles auront

Conditionnel		Subjonctif
Présent	**Passé**	**Présent**
J'aurais	J'aurais eu	que j'aie
Tu aurais	Tu aurais eu	que tu aies
il/elle aurait	il/elle aurait eu	qu'il/qu'elle ait
nous aurions	nous aurions eu	que nous ayons
vous auriez	vous auriez eu	que vous ayez
ils/elles auraient	ils/elles auraient eu	qu'ils/qu'elles aient

Impératif	Infinitif	Participe	Gérondif
Présent	**Présent**	**Présent**	
aie	avoir	ayant	
			en ayant
ayons	**Passé**	**Passé**	
ayez	avoir eu	eu	

Remarque:

Aux temps composés, le verbe **avoir** se conjugue avec l'auxiliaire **avoir.**

Indicatif			
Présent	**Passé Composé**	**Imparfait**	**Plus-que-parfait**
Il pleut	Il a plu	Il pleuvait	Il avait plu
Passé Simple	**Future Simple**	**Future Antérieur**	
Il plut	Il pleuvra	Il aura plu	

Conditionnel		Subjonctif
Présent	**Passé**	**Présent**
Il pleuvrait	Il aura plu	qu'il pleuve

Impératif	Infinitif	Participe	Gérondif
Présent	**Présent**	**Présent**	
n'existe pas	pleuvoir	pleuvant	en pleuvant
	Passé	**Passé**	
	avoir plu	ayant plu	

Verbes ayant la même conjugaison: pleuvoir, repleuvoir.

Pouvoir استطاع

Indicatif			
Présent	**Passé Composé**	**Imparfait**	**Plus-que-parfait**
Je peux ou puis	J'ai pu	Je pouvais	J'avais pu
Tu peux	Tu as pu	Tu pouvais	Tu avais pu
Il/elle peut	Il/elle a pu	Il/elle pouvait	Il/elle avait pu
Nous pouvons	Nous avons pu	Nous pouvions	Nous avions pu
Vous pouvez	Vous avez pu	Vous pouviez	Vous aviez pu
Ils/elles peuvent	Ils/elles ont pu	Ils/elles pouvaient	Ils/elles avaient pu

Passé Simple	**Future Simple**	**Future Antérieur**
Je pus	Je pourrai	J'aurai pu
Tu pus	Tu pourras	Tu auras pu
Il/elle put	Il/elle pourra	Il/elle aura pu
Nous pûmes	Nous pourrons	Nous aurons pu
Vous pûtes	Vous pourrez	Vous aurez pu
Ils/elles purent	Ils/elles pourront	Ils/elles auront pu

Conditionnel		Subjonctif
Présent	**Passé**	**Présent**
Je pourrais	J'aurais pu	que je puisse
Tu pourrais	Tu aurais pu	que tu puisses
Il/elle pourrait	Il/elle aurait pu	qu'il/qu'elle puisse
Nous pourrions	Nous aurions pu	que nous puissions
Vous pourriez	Vous auriez pu	que vous puissiez
Ils/elles pourraient	Ils/elles auraient pu	qu'ils/qu'elles puissent

Impératif	Infinitif	Participe	Gérondif
n'existe pas	**Présent** pouvoir **Passé** avoir pu	**Présent** pouvant **Passé** pu	en pouvant

Remarque:

À la forme interrogative, seule la forme présente **puis** est utilisée (puis-je promener ?). [**puis**] est plus recherché que [**peux**] à la forme négative (et encore plus à l'affirmative).

Vouloir   أراد

Indicatif			
Présent	**Passé Composé**	**Imparfait**	**Plus-que-parfait**
Je veux	J'ai voulu	Je voulais	J'avais voulu
Tu veux	Tu as voulu	Tu voulais	Tu avais voulu
Il/elle veut	Il/elle a voulu	Il/elle voulait	Il/elle avait voulu
Nous voulons	Nous avons voulu	Nous voulions	Nous avions voulu
Vous voulez	Vous avez voulu	Vous vouliez	Vous aviez voulu
Ils/elles veulent	Ils/elles ont voulu	Ils/elles voulaient	Ils/elles avaient voulu

Passé Simple	Future Simple	Future Antérieur
Je voulus	Je voudrai	J'aurai voulu
Tu voulus	Tu voudras	Tu auras voulu
Il/elle voulut	Il/elle voudra	Il/elle aura voulu
Nous voulûmes	Nous voudrons	Nous aurons voulu
Vous voulûtes	Vous voudrez	Vous aurez voulu
Ils/elles voulurent	Ils/elles voudront	Ils/elles auront voulu

Conditionnel		Subjonctif
Présent	**Passé**	**Présent**
Je voudrais	J'aurais voulu	que je veuille
Tu voudrais	Tu aurais voulu	que tu veuilles
Il/elle voudrait	Il/elle aurait voulu	qu'il/qu'elle veuille
Nous voudrions	Nous aurions voulu	que nous voulions
Vous voudriez	Vous auriez voulu	que vous vouliez
Ils/elles voudraient	Ils/elles auraient voulu	qu'ils/qu'elles veuillent

Impératif	Infinitif	Participe	Gérondif
Présent	**Présent**	**Présent**	
veux ou veuille	vouloir	voulant	en voulant
voulons	**Passé**	**Passé**	
voulez	avoir voulu	voulu	

Remarque:

L'impératif est rare sauf dans les expressions: **ne m'en veux pas, ne m'en voulez pas.** L'impératif **veuillez** est utilisé par politesse (veuillez accepter mes salutations...).

Voir رأى

Indicatif			
Présent	**Passé Composé**	**Imparfait**	**Plus-que-parfait**
Je vois	J'ai vu	Je voyais	Je avais vu
Tu vois	Tu as vu	Tu voyais	Tu avais vu
Il/elle voit	Il/elle a vu	Il/elle voyait	Il/elle avait vu
Nous voyons	Nous avons vu	Nous voyions	Nous avions vu
Vous voyez	Vous avez vu	Vous voyiez	Vous aviez vu
Ils/elles voient	Ils/elles ont vu	Ils/elles voyaient	Ils/elles avaient vu
Passé Simple	**Future Simple**	**Future Antérieur**	
Je vis	Je verrai	J'aurai vu	
Tu vis	Tu verras	Tu auras vu	
Il/elle vit	Il/elle verra	Il/elle aura vu	
Nous vîmes	Nous verrons	Nous aurons vu	
Vous vîtes	Vous verrez	Vous aurez vu	
Ils/elles virent	Ils/elles verront	Ils/elles auront vu	

Conditionnel		Subjonctif
Présent	**Passé**	**Présent**
Je verrais	J'aurais vu	que je voie
Tu verrais	Tu aurais vu	que tu voies
Il/elle verrait	Il/elle aurait vu	qu'il/qu'elle voie
Nous verrions	Nous aurions vu	que nous voyions
Vous verriez	Vous auriez vu	que vous voyiez
Ils/elles verraient	Ils/elles auraient vu	qu'ils/qu'elles voient

Impératif	Infinitif	Participe	Gérondif
Présent	**Présent**	**Présent**	
vois	voir	voyant	
			en voyant
voyons	**Passé**	**Passé**	
voyez	avoir vu	vu	

Verbes ayant la même conjugaison: entrevoir, revoir, voir.

Exercices sur la conjugaison

Parmi ces choix, choisissez la réponse correcte.

Exercice (1)

(1) Je mangerai quand .... faim.

A	B	C	D
j'ai	j'avais	j'aurai	j'aurais

(2) Je voudrais vous ....

A	B	C	D
parlez	parlerais	parlerez	parler

(3) Nous irions au cinéma si nous .... assez d'argent.

A	B	C	D
avions	aurons	avons	aurions

(4) Nous irons au cinéma quand .... assez d'argent.

A	B	C	D
avions	aurons	avons	aurions

(5) Ma sœur jouait pendant que j'ai .... la radio.

A	B	C	D
écoute	ai écouté	écoutais	écouterais

(6) J'insiste que tu .... avant sept heures.

A	B	C	D
viens	vienne	vins	viennes

(7) La semaine derrière .... un courriel (e-mail) à ma mère.

A	B	C	D
j'ai envoyé	j'ai envoyée	j'enverrai	j'enverrais

(8) Voici la chemise que .... hier.

A	B	C	D
j'achète	j'ai acheté	j'ai achetée	j'achèterai

(9) Quand une personne maigrit, cela .... dire qu'elle perd du poids.

A	B	C	D
veux	veut	veuille	voulût

(10) Avez-vous mangé les deux pommes que je vous ai ………. ce matin?

A	B	C	D
donnés	donnez	données	donner

(11) Pour réussir dans la vie, …….... travailler.

A	B	C	D
il faut	il fait	il fend	il est

(12) D'habitude, on ……… chaud en été.

A	B	C	D
fait	a	est	pleut

(13) Marie ……… heureuse quand j'ai vue.

A	B	C	D
serait	était	est	sera

(14) Quand mon père était jeune, il ……… beau.

A	B	C	D
a été	était	est	serait

(15) L'année derrière Jean-Claude et Pierrette .... en Espagne.

A	B	C	D
sommes allés	sont allées	sont allés	iront

(16) Les étudiants chantaient quand Anne et Marie .... dans la salle de classe.

A	B	C	D
sont entrés	entreront	sont entrées	entreraient

(17) Lisette .... à huit heures et ensuite elle a pris le train pour aller au travail.

A	B	C	D
s'est levé	se levait	se lève	s'est levée

(18) Voici les livres que tu as ....

A	B	C	D
commandé	commander	commandés	commandées

(19) Nous ne pouvons pas .... au golf parce qu'il pleut à verse.

A	B	C	D
jouer	joué	jouant	joue

(20) Quand Nathalie eut fini de parler, elle ....

A	B	C	D
partira	partir	partit	partie

(21) Il est possible que Michel et Michelle .... partis.

A	B	C	D
sont	ont	aient	soient

(22) J' .... téléphoné à ma mère si j'avais eu le temps.

A	B	C	D
avais	aurait	aurais	ai

(23) François s'est endormi en .... la télé.

A	B	C	D
regarder	regardé	regardant	regarde

(24) Mon neveu .... aller à Montréal.

A	B	C	D
veut	vouloir	veux	voulu

(25) Je doute que Sylvie .... compris la leçon.

A	B	C	D
soit	a	ait	aie

Exercice (2)

(1) Voilà le problème! Tu n'as pas .... la radio!

A	B	C	D
branchée	branché	brancher	branche

(2) Il fait très froid aujourd'hui. .... ton manteau.

A	B	C	D
Met	Mets	Mettra	Mettez

(3) Nous avons besoin de .... les mains.

A	B	C	D
se laver	laver	nous laverons	nous laver

(4) Si nous avons le temps, nous .... la vaisselle.

A	B	C	D
ferons	ferions	faisons	avons fait

(5) Si nous avions le temps, nous .... la vaisselle.

A	B	C	D
avons fait	aurions fait	ferions	ferons

(6) Si nous avions eu le temps, nous .... la vaisselle.

A	B	C	D
avons fait	aurons fait	aurions fait	faisions

(7) J'ai peur qu'elle ne .... morte.

A	B	C	D
sera	serait	sois	soit

(8) Je regrette que vous .... malade.

A	B	C	D
soyez	êtes	ayez	avez

(9) Il est urgent que vous ....

A	B	C	D
venez	viendrez	viendriez	veniez

(10) Sandra était fatiguée ce matin parce qu'elle .... dormi.

A	B	C	D
n'a pas	n'est pas	ne pas	n'as pas

Les réponses des exercices sur le présent

1	2	3	4	5	6	7	8
a	*d*	*b*	*a*	*c*	*d*	*b*	*a*

Les réponses des exercices sur le passé composé

1	2	3	4	5
c	*d*	*b*	*a*	*c*

Les réponses des exercices sur l'imparfait

1	2	3	4	5	6	7	8	9
c	*d*	*a*	*c*	*b*	*a*	*b*	*d*	*b*
10	11	12	13	14	15	16	17	18
c	*d*	*a*	*c*	*a*	*b*	*d*	*c*	*b*

Les réponses des exercices

sur le plus-que-parfait de l'indicatif

Exercice (A)

1	2	3	4	5
a	*c*	*d*	*c*	*c*

Exercice (B)

1	2	3	4	5	6	7	8
f	*c*	*e*	*g*	*a*	*b*	*h*	*d*

Exercice (C)

1. Paul n'avait pas encore fini ses devoirs.

2. Agathe n'avait pas complètement fini le repassage.

3. Elle n'avait pas du tout rangé sa chambre.

4. Les garçons ne s'étaient pas encore mis en pyjama.

5. Tu ne t'étais pas encore préparé.

6. Tu n'avais pas eu le temps d'appeler un taxi.

7. Mais au moins tu m'avais acheté des fleurs.

Les réponses des exercices sur le futur simple

1	2	3	4	5	6
a	d	a	b	a	b

Les réponses des exercices sur le conditionnel présent

1	2	3	4	5	6	7	8	9	10	11	12	13
d	a	c	b	c	d	a	d	b	c	d	c	d

Les réponses des exercices sur le subjonctif présent

1	2	3	4	5	6	7	8	9	10	11	12	13	14	15
a	c	d	c	a	b	a	b	d	c	a	d	b	c	a

Les réponses des exercices sur le subjonctif passé

1	2	3	4	5	6	7	8	9	10	11	12
b	a	d	c	a	d	c	b	d	a	b	c

13	14	15	16	17	18	19	20	21	22	23	24
d	c	a	b	c	a	d	b	a	b	c	a

Les réponses des exercices sur l'impératif

1	2	3	4	5	6	7	8	9
b	d	a	c	b	d	a	c	b

Les réponses des exercices sur l'infinitif

1	2	3	4	5	6	7	8	9	10	11	12	13	14	15	16
d	b	a	d	c	c	b	d	b	a	b	c	a	d	b	a

Les réponses des exercices sur l'infinitif passé

(2) d'avoir voyagé

(3) de s'être amusé

(4) de s'être fait

(5) d'être sorti

(6) de s'être éloigné

(7) d'avoir vécu

(8) d'avoir connu

(9) d'avoir essayé

Les réponses des exercices sur le participe présent et le gérondif

Exercice (1)

(1)	maîtrisant	(6)	possédant
(2)	justifiant	(7)	connaissant
(3)	pouvant	(8)	ayant
(4)	sachant	(9)	permettant
(5)	nécessitant	(10)	s'adressant
(11) ne craignant pas			

Exercice (2)

1	2	3	4	5	6	7	8
b	c	c	d	a	b	d	a

Les réponses des exercices sur l'actif et le passif

1	2	3	4	5	6	7	8	9	10
d	c	a	c	b	a	c	d	a	b
11	12	13	14	15	16	17	18	19	20
b	c	d	b	a	c	d	a	d	c
21	22	23	24	25	26	27	28	29	30
b	c	b	a	d	c	c	a	b	d
31	32	33	34	35	36	37	38	39	
b	c	a	a	b	d	b	d	a	

Les réponses des exercices sur les prépositions

Exercice (A)

1	2	3	4	5	6	7	8	9	10	11	12
b	a	c	d	c	d	c	d	b	a	c	b

Les réponses des exercices sur le féminin des adjectifs et des noms

1	2	3	4	5	6	7	8	9	10	11	12	13	14	15
b	c	d	a	b	c	b	c	b	d	a	d	c	b	a
16	17	18	19	20	21	22	23	24	25	26	27	28	29	30
a	b	c	a	d	b	b	a	c	d	c	a	b	d	c
31	32	33	34	35	36	37	38	39	40	41	42	43	44	45
b	a	d	c	d	b	a	b	a	c	d	b	a	d	c
46	47	48	49	50	51	52	53	54	55	56	57	58	59	60
c	a	b	a	a	c	d	b	d	a	b	a	b	c	c
61	62	63	64	65	66	67	68	69	70					
a	b	a	b	c	d	c	a	d	b					

Les réponses des exercices sur le pluriel des adjectifs et des noms

1	2	3	4	5	6	7	8	9
a	d	c	b	c	b	d	a	b
10	11	12	13	14	15	16	17	18
a	c	d	c	b	d	a	c	b
19	20	21	22	23	24	25	26	27
a	b	a	c	d	b	d	a	c

Les réponses des exercices sur la conjugaison

Exercice (1)				
1. j'aurai	6. viennes	11. il faut	16. sont entrées	21. soient
2. parler	7. j'ai envoyé	12. a	17. s'est levée	22. aurais
3. avions	8. j'ai achetée	13. était	18. commandés	23. regardant
4. aurons	9. veut	14. était	19. jouer	24. veut
5. écoutais	10. données	15. sont allés	20. partit	25. ait
Exercice (2)				
1. branché	3. nous laver	5. ferions	7. soit	9. veniez
2. Mets	4. ferons	6. aurions fait	8. soyez	10. n'a pas

Bibliographie

(1) Christopher Kendris, Theodore Kendris, *Barron's Foreign Languague Guides, 501 French Verbes*, sixth edition, United States of America, 2007

(2) Anne Akyüz, et al, *Exercices de grammaire en contexte*, Hachette, Paris, 2001

(3) Jean-Claude Chevaller, Michel Arrivé, et al, *Grammaire Larousse du Français Contemporain*, Larousse, Paris, 1964

(4) Claire Chuilon, *Grammaire Pratique, Le français de A à Z*, Hatier International, Paris, 1986

(5) Maia Grégoire et Gracia Merlo, *Grammaire progressive du Français*, niveau débutant, CLE international, Paris, 1997

(6) Maia Grégoire et Gracia Merlo, *Grammaire progressive du Français*, niveau intermédiaire, CLE international, Paris, 1997

(7) Maia Grégoire et Gracia Merlo, *Grammaire progressive du Français*, niveau avancé, CLE international, Paris, 1997

(8) Linda S. Leppig, Martin P. Rice et John Romeiser, *Learn to Speak French Deluxe*, United States of America, 2003

(9) Maurice Grevisse, *Le Petit Grevisse : Grammaire Française*, 32ème édition, De Boeck

(10) Bénédicte Gaillard, Jean-Pierre Colignon, *Toute la Grammaire*, Canada, 2009

Table de Matières

المحـــــتوى

أطلـــس

للنشر والإنتاج الإعلامى

Printed in the United States
By Bookmasters